Prod No.	99162
Date	23.04.19
Supplier	C&C Offset Printing Co Ltd
T.P.S	159 x206mm, portrait
Extent	304 pages in 4/4 (CMYK)
INT. Papers	on 157gsm Japanese Kinmari Ex Dull matt art
Ends	1/1 (PMS Cool Grey 2U) on 140gsm UW + 2/s machine varnish
Cover	4/0 (CMYK) on 128gsm gloss art
Finishings	matt lamination + spot UV (front + spine)
Binding	Cased bound, PLC over 2mm greyboards cased-in, sewn in 16pp, HT bands (GF223 - grey & white stripes)
Spine	square, separate endpapers, sewn in 16pp

CYCLOPEDIA

SHIMANO
ULTEGRA

CYCLOPEDIA

een eeuw iconische fietsen

Samengesteld door Michael Embacher,
foto's van Bernhard Angerer,
voorwoord door Paul Smith en
bijdragen van Martin Strubreiter en Michael Zappe.

500 foto's in kleur

DATO

INHOUD

WOORD VOORAF

Als jochie van elf veranderde mijn wereld van alledaags leven en schoolgaan in een avontuurlijk bestaan waar fietsen de hoofdrol in speelden, en dat is nooit meer overgegaan. Voor mijn verjaardag kreeg ik van mijn ouders een lichtblauwe racefiets, een Paramount. Hoewel tweedehands gekocht van een vriend van mijn vader, was hij in perfecte staat. Die vriend vertelde me dat ik, mocht ik ooit zin hebben om lid te worden van de plaatselijke wielerclub waar hij bij aangesloten was, van harte welkom was om zondags mee te fietsen door het schitterende Engelse landschap. Dat heb ik inderdaad gedaan, en zo leerde ik de sensatie van vrijheid kennen die fietsen langs brede, open wegen je geeft: de wind op je gezicht, het zoeven van de banden en het intense gevoel iets volbracht te hebben als ik na een paar uur weer thuiskwam.

Mijn fiets stond altijd in mijn slaapkamer (waar mijn moeder allesbehalve van gecharmeerd was), en was altijd op en top onderhouden: als ik na een rit in de regen thuiskwam, maakte ik hem onmiddellijk schoon en droog, en vanuit mijn bed bewonderde ik de kleur, de vormgeving en de constructie. Alles van mijn fiets, en van eigenlijk alle fietsen, fascineerde me.

Op mijn twaalfde begon ik met racen als jeugdwielrenner, en later in de categorie junioren. De hoogste plaats die ik tijdens een wegrace behaalde was zesde. Ik won nooit iets en op mijn zeventiende kwam ik ellendig ten val en belandde ik een paar maanden in het ziekenhuis. Later ontmoette ik in de plaatselijke kroeg een stel mensen die ik in het ziekenhuis had leren kennen. Toevallig was het een ontmoetingsplaats van een groot aantal creatieve studenten die zich toelegden op bijvoorbeeld architectuur, kunst, grafische vormgeving en dergelijke; zo kwam ik terecht in de wereld van het ontwerp. 'De rest is geschiedenis', zeggen we dan, maar wielrennen bleef een hobby en een passie van mij.

Door mijn eigen ervaringen kan ik me absoluut verplaatsen in het tomeloze enthousiasme van Michael Embacher. Wat een fabelachtige selectie, wat een vormen en afmetingen en kwaliteiten! De fantastische Gazelle Champion Mondial werd halverwege de jaren 1960 ontwikkeld, maar lijkt in grote lijnen op mijn eerste fiets; ik ben helemaal weg van de hightech, ultramoderne Schauf Wall Street, en de Sablière met zijn gebogen buizen en aluminium frame is ook een waar kunststuk! Eigenlijk moet je gewoon dit boek doornemen, want woorden alleen doen absoluut geen recht aan deze superfietsen.

Paul Smith

Paul Smith 531

OVER DE FASCINATIE VOOR DE FIETS

'Als je je moedeloos voelt, de dag somber lijkt, je werk eentonig wordt en je nauwelijks een lichtpuntje ziet, pak dan je fiets en maak een tocht. Vergeet alles en concentreer je op het fietsen.'
Arthur Conan Doyle, *Scientific American Magazine*, 1896

Een fiets is absoluut een sensueel en persoonlijk object dat tal van herinneringen oproept: je herinnert je vast nog je eerste fiets, het moment dat de zijwieltjes eraf gingen, en je eerste forse valpartij. Voor veel kinderen is de fiets hun eerste kans om hun speelterrein te vergroten, uit de buurt van hun ouders te komen en de grote, spannende wereld te verkennen.
Een fiets hebben betekent vóór alles plezier maken, hoe jong of oud je ook bent. De wind door je haren, daadwerkelijk vooruitkomen op je eigen energie, de verkeersopstoppingen vermijden of op een ijsfiets over een bevroren meer jakkeren.[1]

De nederige fiets genereert een intens gevoel van verwachting en vervult hele landen van diepe trots; denk maar aan grandioze evenementen als de Tour de France of de Giro d'Italia, waar duizenden fans verschijnen en miljoenen liefhebbers via de televisie hun helden volgen. Je hebt wielrenners, kijkers, verzamelaars, liefhebbers van het vakmanschap, doe-het-zelvers en professionele constructeurs, en één ding hebben ze gemeen: liefde voor de fiets. In 2007 stond er in Zeit Magazin (een bijlage van de Duitse krant Die Zeit) een interview met Luca Cordero di Montezemolo, directeur van Ferrari, aan wie gevraagd werd wat hij in zijn vrije tijd het liefste reed. Hij antwoordde: 'Ik hou van fietsen.'

Natuurlijk is de fiets ook het perfecte, milieuvriendelijke vervoermiddel in een tijd dat het welzijn van onze planeet ons zozeer ter harte gaat. We trappen zelf, parkeerruimte is overbodig, van kwalijke uitstoot of verkeersopstoppingen is geen sprake. De gemiddelde fiets is wendbaar en neemt weinig ruimte in, zodat je gemakkelijk door het verkeer van de drukke stad kunt slalommen. Daar komt bij dat hij je, in deze op gezondheid gefocuste tijd, een prima gelegenheid geeft om fit te blijven. Al deze voordelen monden voor mij uit in de wens dat de fiets het primaire vervoermiddel wordt in alle steden ter wereld.

Ik word gefascineerd door de eenvoud van het idee: je verplaatst je met behulp van je eigen energie, en daarnaast door de schoonheid van de ontwerpen. Het concept van een voertuig op twee wielen dat rijdt op menselijke energie bestaat al ruim een eeuw, wat niet wegneemt dat het blijft trekken en keer op keer wordt vernieuwd en verfijnd.

De fiets is een van de meest compromisloze constructies die ik ken – zowel technisch als artistiek. De constructie moet licht zijn, omdat de fietser het gewicht van zichzelf en de fiets moet aandrijven, een stabiel frame hebben (om efficiënt te zijn), en uitermate zorgvuldig geconstrueerd worden (om de weerstand tot een minimum te beperken), en dat alles verenigd in een fraai, elegant ontwerp. Overal ter wereld zijn ontwerpers gepassioneerd bezig in hun streven naar ultieme perfectie.

Ik heb niet gestreefd naar een starre of chronologische opsomming, maar naar een veelomvattend beeld van wat een fiets kan zijn en welke verhalen achter de diverse modellen schuilgaan. De speelse, experimentele en innovatieve elementen van een fiets zijn evenzeer van belang als wie er op gereden heeft en welke rol ze in de geschiedenis gespeeld hebben. [2,3,4,5]

Michael Embacher tussen de Collectie Embacher.

1 **Capo** Elite 'Eis', pag. 108
2 **One Off** Moulton Special, pag. 100
3 **Cinelli** Laser, pag. 250
4 **Garin**, pag. 26
5 **'Inconnu'**, pag. 220

Alle afgebeelde fietsen voldoen aan de algemeen aanvaarde omschrijving, al variëren ze van zeer geavanceerde racefietsen en uiterst handzame vouwfietsen tot toerfietsen die speciaal ontworpen zijn voor lange ritten. Er is ook aandacht voor uitzonderlijke modellen (waarvan de prestaties soms matig zijn), voor de snelheidsmonsters van baanfietsen zonder remmen, en voor fietsen die in geen enkele categorie zijn onder te brengen. Ik heb ze allemaal persoonlijk uitgeprobeerd, hetzij op de baan hetzij op langere buitenritten, en ik heb veel plezier beleefd aan al die testritten en de luxe van het uitproberen van zoveel verschillende ontwerpen.

Cyclopedia nodigt je uit om mijn ongebreidelde enthousiasme te delen en je persoonlijke passie aan te wakkeren. Als een van de exemplaren in dit boek de lezer aanzet tot meer interesse of bewondering voor de fiets, of iets van de persoonlijke toewijding van de talloze ontwerpers en constructeurs laat zien, die hun ziel en zaligheid leggen in ieder detail, of als een fietser (ongeacht of hij 'gewone tochtjes' maakt of bezeten is van de sport), meer plezier krijgt in zijn ritten heb ik mijn doel bereikt.

Michael Embacher

EEN BEKNOPTE GESCHIEDENIS VAN HET ONTSTAAN VAN DE FIETS

Er bestaat geen consensus over wie de fiets heeft uitgevonden; het enige dat we kunnen reconstrueren is dat in veel landen in ongeveer dezelfde periode verschillende constructies zijn uitgedacht en geperfectioneerd.

Veel mensen menen te weten dat Leonardo da Vinci in de vijftiende eeuw met het idee kwam, maar tekeningen die aan deze kunstenaar en uitvinder werden toegeschreven, bleken vervalsingen van later datum. Ook de suggestie dat graaf De Sivrac in 1791 in Parijs met het eerste model kwam, bleek onjuist en technisch onmogelijk.

Als we dan toch de vermoedelijke uitvinder willen aanwijzen, is baron Karl von Drais (1785-1851) een aanvaardbare kandidaat. In 1815 werd indonesië getroffen door een ongekend hevige uitbarsting van de vulkaan Tambora, die gevolgen had voor het klimaat en de oogst tot in Noord-Europa. De hongersnood die volgde, dwong Europeanen tot het opeten van hun paarden, waardoor ze natuurlijk te maken kregen met een vervoersprobleem. Als alternatief ontwikkelde bosbeheerder Von Drais een loopfiets zonder trappers, maar met, essentieel om er op te kunnen rijden, een besturing. In juni 1817 heeft hij in Mannheim zijn creatie gedemonstreerd, en het voertuig kreeg al snel navolging. Je kon met deze fiets wel sturen, maar niet remmen, wat in Duitsland leidde tot gematigde belangstelling. In andere landen werd Von Drais' uitvinding met wat meer enthousiasme ontvangen, hoewel hij in 1851 in armoede stierf. Een eerste herinneringsmonument voor de uitvinder werd pas in 1893 onthuld.

In de honderd jaar die volgden werd het ontwerp steeds veranderd en verbeterd, maar het oorspronkelijke idee bleef het uitgangspunt. Nieuwe ontwerpen waren soms bijzonder succesvol, en de meeste innovaties werden en worden bedacht door constructeurs die zelf hartstochtelijke fietsers zijn. Technici die met de auto naar hun werk rijden en 'outsiders' die graag in de voorste gelederen van een nieuwe technologie opereren, bleken minder creatief. De functionaliteit is misschien niet revolutionair veranderd, maar nieuwe technologieën en materialen hebben veel betekend voor de verdere ontwikkeling.

Voeten van de grond: pedalen

Een voertuig vaart geven met je voeten is voor de Flintstones misschien ideaal, maar in de echte wereld zijn andere ideeën praktischer. Pierre Michaux (1813-1883) wordt beschouwd als de uitvinder van het pedaal, hoewel Philipp Moritz Fischer, een instrumentmaker uit Schweinfurt in Beieren, rond dezelfde tijd met een vergelijkbaar idee over de kinderkopjes van de stad hotste. Deze eerste manivelles (cranks) waren gemonteerd op de as van het voorwiel, van een ketting was geen sprake, en trappen betekende tegelijkertijd sturen.

Pierre Michaux presenteerde zijn 'Michauline' in 1867 op de Wereldtentoonstelling te Parijs. Het ontwerp bleek een groot succes: wie zich zo'n fiets kon veroorloven, had een nieuw speeltje, en de eerste fietsclubjes waren al snel een feit.

LABOR Spéciale Course

Van 'boneshakers' naar moderne materialen

De eerste vélocipèdes waren zwaar omdat ze gemaakt waren van hout en massief smeedijzer; bovendien waren de 'banden' niet meer dan ijzeren hoepels. In Engeland en Amerika kregen ze daarom de bijnaam 'boneshakers' (knokenschudder), maar de vooruitgang stond niet stil. In Coventry in het Verenigd Koninkrijk gaf James Starley (1830-1881) de fietsindustrie een impuls: stalen velgen en spaken en holle stalen frames deden hun intrede, en daarmee kon de fiets een stuk lichter gebouwd worden.

Het rijcomfort werd door de stalen draadspaken bovendien enorm verbeterd. De massieve rubber band maakte de fiets bovendien geruisloos. in 1888 vond John Boyd Dunlop de luchtband uit (en dus meteen de 'lekke band' waarvan we tot op de dag van vandaag last hebben).

Grotere wielen (in elk geval aan de voorkant)

Met de nieuwe materialen was het mogelijk om grotere voorwielen te maken, waarmee ook de snelheid van de fiets toenam, omdat bij hetzelfde aantal trapbewegingen een grotere afstand werd afgelegd. Van versnellingen had nog niemand gehoord. Ineens was het mogelijk om een snelheid van 20 à 25 km per uur te halen. De voorwielen werden steeds groter (tot een diameter van meer dan 150 cm), terwijl het achterwiel verschrompelde tot niet meer dan een steunwieltje. Zo kwam de hoge 'bi' of Ordinary vanaf 1870 de bocht om racen.

Dichter bij de grond: de veilige fiets

Alleen al het opstappen was een hele kunst (aan de gebogen framebuis zit altijd – links of rechts naar keuze – een soort stijgbeugeltje), en afstappen was helemaal een riskante affaire, zeker als zich een plotselinge hindernis voordeed. Wie tegenwoordig met een hoge 'bi' deelneemt aan een rit loopt grote kans vroeg of laat op het dak van een auto te stuiteren, en in de jaren 1880 kon men soortgelijk onheil verwachten, al bestonden er toen nog geen auto's. Zodra er iets opdook voor het voorwiel, liep je de kans om voorover op je hoofd te duikelen, terwijl onzinnige veiligheidsmaatregelen als een stuur dat automatisch loskoppelde bij een val (zodat fietser én stuur onzacht op het wegdek neerkwamen) de zaak er niet beter op maakten.

De introductie van de kettingaandrijving was wel een verbetering: met een kettingoverbrenging kon het aangedreven wiel kleiner zijn, en met twee wielen van gelijke grootte zat de fietser dichter bij de grond. Na 1885 nam men afscheid van de hoge 'bi' en deed de veilige, lage fiets (safety bicycle) zijn intrede, in het begin vooral als sportattribuut of speeltje voor de welgestelden.

Algemene acceptatie werd vooral bevorderd door het sportieve element: op de weg kon de fiets het opnemen tegen het paard. Op 29 en 30 juni 1893 werd het paard verslagen tijdens een langeafstandsrace van Wenen naar Berlijn (580 km). Joseph Fischer legde de afstand af in 31 uur, en versloeg daarmee graaf Starhemberg, die dezelfde afstand een jaar eerder te paard aflegde in 71 uur en 35 minuten. Serieuze competitie van de auto was nog niet aan de orde; zelfs in 1900 deed een auto van Bollée er nog 26 uur over, wat voor de lange afstand nauwelijks een verbetering was vergeleken met de fiets.

Van korset tot pofbroek: vrouwen op de fiets

Aan het eind van de negentiende eeuw was de fiets nog voorbehouden aan de man. De morele opvattingen waren overzichtelijk en een fiets paste absoluut niet binnen de traditionele rol van de vrouw. In 1891 vergeleek een bisschop het idee van een vrouw op een fiets met rijden op een bezemsteel, en artsen (die waarschijnlijk nog nooit op zo'n vervoermiddel hadden gezeten) rieden het vrouwen af om 'medische redenen'. Als je als vrouw toch een ritje wilde maken, moest je je als man verkleden of kiezen voor een driewieler en een wijde rok om je benen kuis te verbergen.

Aarzelend begonnen vrouwen toch de hoge 'bi' en de lage fiets uit te proberen, en kleding bleek niet zo'n probleem. Een broekrok of pofbroek was geschikt voor op de fiets en viel niet al te zeer op. Het beeld van een vrouw met een echte broek aan was nog ver weg. Toen de vrouwelijke fietspioniers deze nieuwe vrijheid ontdekten, ontdeden ze zich van hun korset en kwam er letterlijk en figuurlijk ruimte voor enige emancipatie.

Onstuitbare vooruitgang: de versnelling

De versnellingsnaaf van Sturmey-Archer in 1903 was een doorbraak qua bedrijfszekerheid en levensduur, en Sturmey-Archer bleef tientallen jaren toonaangevend. Tegenwoordig is de Duitse rohloff Speedhub 500/14 – met 14 versnellingen – het summum.[1]

Rond 1900 waren er evenwel alleen in Engeland al meer dan zestig verschillende versnellingsapparaten met tandwielen gepatenteerd en ook gebouwd. De eerste derailleurs ontstonden rond 1895. De 'Gradient' was een Engels model dat een paar jaar uitsluitend op fietsen van het gelijknamige merk gemonteerd werd. De eigenlijke ontwikkeling van dit onderdeel vond echter plaats in Frankrijk. Letterlijk tientallen ontwerpers en producenten kwamen met rond de tweehonderd modellen, waarvan in de jaren 1930 vijf grote fabrikanten overbleven die bruikbare derailleurs in serie produceerden.[2]

In de jaren 1950 werd het Italiaanse merk Campagnolo toonaangevend in de wielersport. Het model 'Gran Sport' functioneerde perfect, en was ook optisch een juweeltje.[3]

Het ontwerp werd verfijnd (aluminium in plaats van staal, en talloze detailverbeteringen) en tot halverwege de jaren 1980 verkocht onder de naam 'Nuovo Record'.[4]

W. & R. BAINES V.S 37

BOB JACKSON Super Legend

De eerste versnellingen werden uitsluitend door toerrijders gebruikt, want de organisatoren van de belangrijkste wedstrijden (Henri Desgranges – Tour de France) beschouwden dergelijke 'hulpmiddelen' als iets wat afbreuk deed aan de pure 'mankracht'.[5]

Tot 1937 waren versnellingen in de Tour de France en op de wereldkampioenschappen verboden, maar daarna konden de bobo's de ontwikkeling niet langer tegenhouden.

Een nieuw soort toeristen: fietsen voor de lange afstand

In het begin van de twintigste eeuw waren wielerraces reclame voor de fiets; mensen gebruikten hun fiets voor gewone ritjes of voor lange afstanden. Wie een fiets had, hoefde niet met de trein, en een fiets heeft, in tegenstelling tot een paard, geen haver nodig, terwijl er ook geen sprake is van stallen uitmesten.

Fietstoeristen (cyclotouristes) gingen doorgaans naar Frankrijk, zodat praktijktesten ook vaak daar plaatsvonden. Al in 1901 werden er in de bergen remmen getest (wat met de toenmalige remmen bijzonder akelige gevolgen had). Experimenten met versnellingen waren er al vanaf 1912, en rond 1930 hielden vakmensen die met de hand 'fietsen op maat' bouwden al hun eigen constructeurkampioenschappen. Constructeurs legden zich toe op het bouwen van het lichtste, meest robuuste en snelste frame voor een toerfiets.

De beste toerfiets woog ongeveer tien kilo, had acht en soms vijftien versnellingen met twee of drie kettingbladen vóór. Voor remmen, cranks, verlichting, spatborden, stuur, voorbouw en pedalen werd steeds meer aluminium gebruikt. Deze verbeteringen werden al gauw de standaard en internationaal, commercieel succes volgde. Constructeurs als Paul Charrel[6], Jo Routens en Lionel Brans werden beroemd vanwege de kwaliteit van hun fietsen, en vooral René Herse en Alex Singer maakten naam. Herse en Singer kwamen niet alleen met prachtige frames met aangesoldeerde onderdelen, maar zelfs met fietsen met volledig geïntegreerde componenten.

Geïnspireerd door de koude: Campagnolo's naaf met snelspanner

Omdat versnellingsapparaten verboden waren, behielp men zich tot 1937 in het wielrennen met het omdraaien van het achterwiel. Links op de achternaaf zat een tweede, groter kettingwieltje. Aan het begin van een steile klim moest de wielrenner afstappen, de vleugelmoeren van het wiel losdraaien, het wiel omdraaien, de ketting spannen en de zaak weer vastzetten.[5,7]

Om geen gereedschap te hoeven gebruiken, werden vleugelmoeren gebruikt, die op zich prima voldeden, tot het moment waarop (op 11 november 1927) Tullio Campagnolo tijdens een wedstrijd in de Dolomieten werd overvallen door een sneeuwstorm. Zijn vingers waren verstijfd van de kou en hij kreeg gewoon geen vat op de moeren. Zijn frustratie leidde tot een nieuwe vondst: hij loste het probleem in 1930 op met de naaf met snelspanner. in 1933 startte hij zijn bedrijf en in 1940 nam hij de eerste werknemers in dienst.

Creatieve nieuwigheden uit het Verenigd Koninkrijk

De Britten, wier eigenzinnigheid spreekwoordelijk is, kwamen vanaf de jaren 1930 met verfrissende alternatieven voor het diamantframe (ruitvormig), en ieder bedrijf was ervan overtuigd dat zijn uitvinding het ultieme frame zou blijken.

Hetchins kwam met de gebogen achtervork (de 'curly' of 'vibrant'[8] en Bates kwam met de Diadrant voorvork (een krullende vork), en de Cantiflex-buizen, die in het midden dikker waren, weken niet fundamenteel af van het klassieke diamantframe. Anderen echter, zoals Baines met zijn Flying Gate 7, Waller met de Kingsbury en Paris met de Galibier, wilden wel degelijk geschiedenis schrijven met volkomen nieuwe ontwerpen.

De prijs was echter de meest in het oog springende innovatie: de productiekosten van deze bijzondere frames waren hoog, zodat massaproductie ondenkbaar was. De ontwerpen waren bedoeld om de frames lichter en stijver te maken, een streven dat vooral in de fantasie bleef steken, hoewel we het psychologisch effect van zo'n idee niet moeten onderschatten: fietsen is een zaak van benen en geest. De hoogtijdagen van de wonderlijke frames kwamen na de Tweede Wereldoorlog, toen talloze kleine fabriekjes een poging deden om een graantje mee te pikken in de booming fietswereld. Ze dachten dat extravagante ontwerpen klanten zouden lokken, maar het kwam erop neer dat alleen de Bates en de Hetchins met frames waarop gemakkelijk onderdelen konden worden gesoldeerd, standhielden.[8,9]

Ruimte in de kofferbak: de vouwfiets

De fiets begon als een bijzonder bezit voor de rijken, maar met de komst van de auto ontdekten zij een nieuw speeltje. Door productie op grote schaal konden veel meer mensen zich er een veroorloven, en voor de gewone man werd de fiets hét vervoermiddel. Zowel nieuwe als tweedehands fietsen werden steeds betaalbaarder en minder elitair: arbeiders begonnen hun eigen fietsclubs. Tot ver na de Tweede Wereldoorlog was de fiets wat nu de auto is: het transportmiddel voor de massa.

T&C Pocket Bici

LOTUS Sport 110

Het leger toonde ook interesse voor de fiets.[10] Al tijdens de Frans-Pruisische oorlog (1870-1871) werden fietsen door koeriers gebruikt, en later dienden ze als vervoermiddel voor militaire eenheden infanterie. Dit leidde aan het eind van de negentiende eeuw tot de ontwikkeling van de vouwfiets. In 1895 ontstond de befaamde Capitaine Gérard, de vouwfiets van het Franse leger die nog na 1918 in gebruik bleef. In 1910 verscheen de 'Colibri', een vouwfiets van Duitse makelij met kleine 20-inch wielen. Hij was speciaal ontworpen voor jagers of soldaten. Omdat ze hun voeten op de grond konden zetten, waren het ideale statieven om meteen te kunnen schieten. Alle Europese legers gebruikten ooit fietsen, en het Zwitserse doet dat zelfs tot op de huidige dag.

Niettemin werd de vouwfiets pas rond de jaren 1960, toen de samenleving volledig gemotoriseerd was, echt populair.[11,12,13,14] De gedachte was dat je zo'n vouwfiets gemakkelijk in de achterbak kwijt kon, om hem bij gelegenheid te gebruiken, maar in de praktijk stond hij meestal te verstoffen in de kelder. Ten tijde van de modieuze vouwfiets was Alex Moulton, de uitvinder van het veersysteem voor de Austin Mini, bezig met het ontwikkelen van een volledig geveerde, niet opvouwbare fiets met kleine banden.[3,15] De trend in vouwfietsen vond dus zijn inspiratie in een fiets die niet ingeklapt kon worden. Moulton zelf maakte maar één vouwfiets: de Stowaway.

En zo werd de ooit zobegeerde fiets in veel landen de áuto voor de kleine man. In Nederland en Vlaanderen is de fiets echter nog steeds het meest gebruikte vervoermiddel voor de korte afstand. Alleen werd de fiets steeds meer een standaardproduct, de fabrieken werden groter en de merken minder talrijk. De racefiets bleef populair voor de vrije zondag, en daar kwam een nieuw soort fiets bij toen Amerikaanse excentriekelingen het in hun hoofd kregen om van bergen af te gaan fietsen.

Een nieuwe impuls: de mountainbike

Ook de mountainbike werd op verschillende plaatsen door een aantal mensen tegelijk uitgevonden, maar de belangrijkste naam is Gary Fisher (1950). Fisher heeft zijn ziel en zaligheid verpand aan dit type fiets en hij is nog altijd in staat om jongere deelnemers er tijdens marathons uit te rijden.

Gary Fisher boekte zijn eerste successen op de racefiets, maar werd in 1968 uit de American Cycling Association gezet vanwege zijn lange haar; in 1972 werd het reglement gewijzigd, maar Gary Fisher verkoos met zijn vrienden (onder wie Joe Breeze,[16] en Charlie Kelly) de gebaande paden te verlaten, ook letterlijk, om in het 'offroad' terrein te gaan fietsen. Ze bouwden robuuste Schwinn Cruiser-frames uit de jaren 1930 om met extra verstevigde componenten. Vanwege hun gewicht moesten de fietsen met een pick-up naar Mount Tamalpais (Californië) worden gebracht voor een fabelachtige afdaling naar het dal. Eenmaal beneden waren de naven van de terugtraprem zo heet geworden dat al het vet er uit was gelekt en de remmen eerst met nieuw smeervet verpakt moesten worden (vandaar de naam 'repack race').

Vorm volgt functie: de ultieme triomf van het design

De mountainbike zorgde voor een opleving van het technische proces, een vooruitgang die grote gevolgen had voor de schoonheid en fraaie ontwerpen van de toekomst.

Nieuwe materialen deden hun intrede: nieuwe aluminium legeringen die gelast konden worden, die minder bros waren en qua sterkte/gewichts-verhouding konden wedijveren met staal. Aluminium buizen van grote diameter werden gebruikt om frames van te bouwen. Titanium was even heel populair (maar kostbaar), maar werd al snel verdrongen door carbon. Ontwerpers konden aan de slag met dit materiaal dat in elke gewenste vorm kon worden gemodelleerd, en zo ontstond naast het diamantframe de monocoque.[18,19,20] Overal ter wereld waren ontwerpers bezig met nieuwe, innovatieve vormen: zelfs vouwfietsen konden nu stijf, mooi en snel worden gemaakt. Staal was heel goed bruikbaar als fraai alternatief voor de liefhebbers van ranke frames en mooi bewerkte lugs.

Daarmee zijn we bij het heden, en dus bij de essentie van dit boek aangekomen.

Michael Zappe en Martin Strubreiter

VIALLE VÉLASTIC
WHAT'S IN A NAME?

SOORT
STADSFIETS, BIJZONDERE MODELLEN

LAND
FRANKRIJK

JAAR
1925

GEWICHT
17,3 KG

FRAME
GELAKT STAAL, IN HOOGTE VERSTELBAAR

VERSNELLINGEN
1

REMMEN
VELGREMMEN MET STANGEN

BANDEN
26 INCH, DRAADBANDEN

De ideeën die later in de Breezer Beamer (zie pag. 56) verwerkt zouden worden, kwamen al aan de orde in een fiets uit 1925. De Vélastic van de Franse gebroeders Vialle en hun Établissements Industriels des Cycles Élastiques was, zoals advertenties in kranten claimden, net zo comfortabel als een leunstoel. Je zou er zelfs zonder iets te merken mee van een stoeprand af kunnen rijden.

Als je de gebruikelijke overdrijvingen even wegdenkt, blijft toch het beeld van een uiterst comfortabele fiets overeind: een groot deel van het frame wordt gevormd door een bladveer en zonder zitbuis zit de berijder dus heel aangenaam. De rest van het frame is ontworpen om torsiestijfheid te verkrijgen, en dat lukt tot op zekere hoogte.

Het zadel is natuurlijk in hoogte verstelbaar: een langere fietser trekt de bladveer een eindje omhoog en ervaart dus nog meer vering, terwijl voor een kleiner iemand de vering wat stugger is.

Tegenwoordig zou een fabrikant verschillende soorten vering ontwikkelen voor zwaardere of lichtere fietsers. De naam Vélastic is nog ingenieuzer dan de fiets zelf, omdat het woord zo prachtig de eigenschappen van de fiets verenigt.

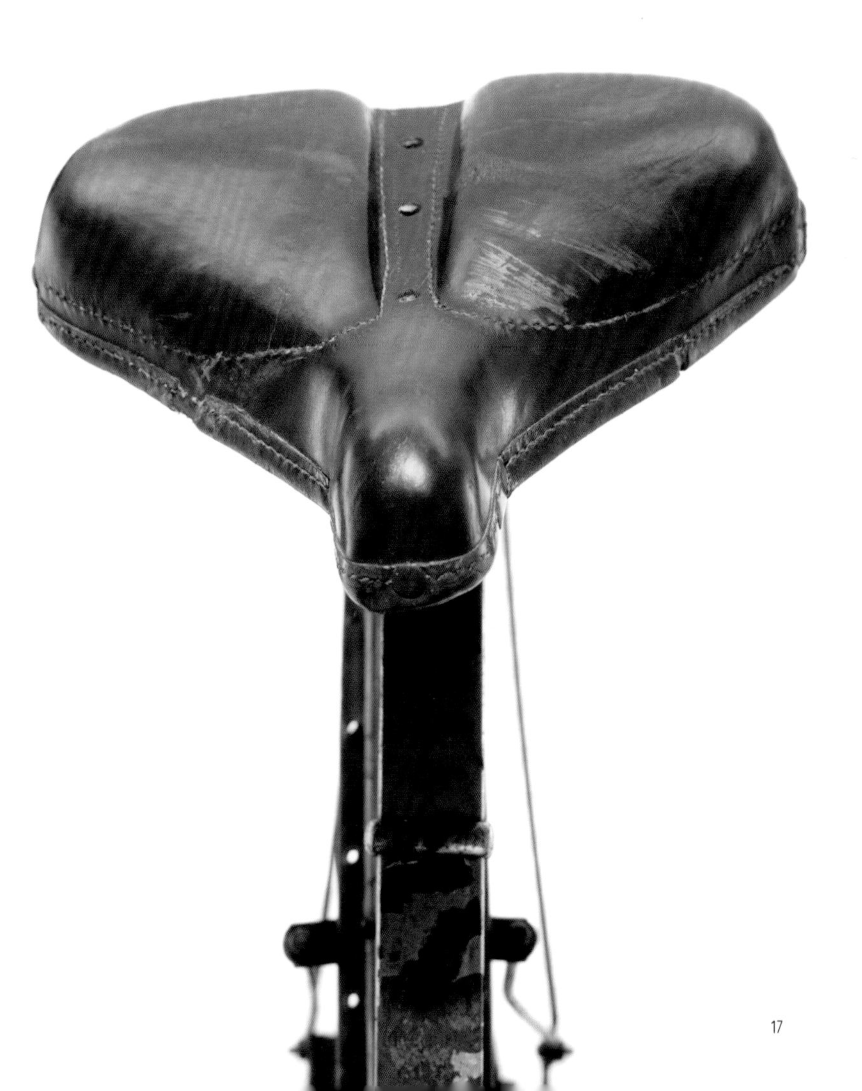

CYCLES HIRONDELLE
Rétro-Direct
VOOR- OF ACHTERUIT

SOORT
TOERFIETS, BIJZONDERE MODELLEN

LAND
FRANKRIJK

JAAR
ca. 1925

GEWICHT
18,7 KG

FRAME
GELAKT STAAL, 55,8 CM HOOG

VERSNELLINGEN
2

REMMEN
VELGREMMEN SIDE PULL

BANDEN
28 INCH, DRAADBANDEN

een aantal keren uit de cranks, wat toch enige afbreuk deed aan de glans van het ontwerp.

In de jaren 1920 begon Hirondelle overigens met de massaproductie van een voorderailleur die ook zowel vooras achteruit trappend werkte.

De fietser die bij het rijden in de bergen wél de juiste versnelling wil, maar niet houdt van schakelen, zou met deze Rétro-Direct van de 'Manufacture Française d'Armes et Cycles' volmaakt gelukkig zijn. Je kunt er, net als met iedere andere fiets, gewoon mee over vlak terrein rijden, maar als je een berg op wilt, trap je achteruit!

Dit principe, dat op het eerste gezicht lijkt op een Möbiusband, is in feite een simpele aandrijving met twee freewheels en één gekruiste ketting.

Tot het eind van de jaren 1920 was de Rétro-Direct een serieuze concurrent voor de andere versnellingssystemen die toen voorhanden waren. De reputatie van Hirondelle was uitstekend en het mechaniek van de Rétro-Direct, dat in 1903 werd geïntroduceerd, was al geruime tijd op de markt. In 2007 reed een Brit de wielerwedstrijd Parijs-Brest-Parijs op een Rétro-Direct. Tijdens die 1200 km liepen de pedalen

SCHULZ Funiculo
GEMAK DIENT DE MENS

SOORT
TOERFIETS

LAND
FRANKRIJK

JAAR
ca. 1937

GEWICHT
14,8 KG

FRAME
GELAKT STAAL, 53 CM HOOG

VERSNELLINGEN
4, DERAILLEUR FUNICULO (ACHTER)

REMMEN
VELGREMMEN SIDE PULL FUNICULO

BANDEN
26 INCH, DRAADBANDEN

Het uitzonderlijke van een Schulz Funiculo springt direct in het oog, en valt bij de tandem nog meer op.

De constructeur, Jacques Schulz, was een innovatief genie die werkelijk ieder onderdeel van zijn ontwerp vernieuwde. Het frame, dat in de buurt van Parijs werd ontworpen, werd vanaf 1937 in fietstijdschriften gepropageerd als 'l'armature souple', dat wil zeggen een flexibel frame. De derailleur van deze fiets kon kettingkransjes tot veertig tanden aan, wat betekende dat de fiets gemakkelijk bergop kon rijden met slechts één tandwiel voor. Voor de voorrem liet hij alle bestaande ideeën varen, wat tot een uiterst effectief ontwerp leidde. De achterrem werd bediend met twee kabels die door het frame liepen, waarbij de remarmen niet op de traditionele manier scharnierden – een technisch hoogstandje. De fietspomp zit overigens opgeborgen in het onderste deel van de staande framebuis.

Het is wel opmerkelijk dat zo'n speciaal ontwerp is voorzien van standaardbanden die door glas of een spijkertje lek kunnen raken. Een dergelijke superieure fiets zou toch eigenlijk moeten worden beschermd tegen troep op de weg. In Europa zijn nog altijd drie Schulz-fietsen te vinden; de hier afgebeelde Funiculo is waarschijnlijk de enige die ook nog kan rijden.

HERCULES 2000 HK
IN DE VOETSPOREN VAN ZIJN VADER

SOORT
STADSFIETS

LAND
DUITSLAND

JAAR
ca. 1958

GEWICHT
17,2 KG

FRAME
HAMERSLAG GELAKT ALUMINIUM, 53,2 CM HOOG

VERSNELLINGEN
TORPEDO 3-VERSNELLINGSNAAF

REMMEN
VELGREM SIDE PULL ALTENBURGER (VOOR), TERUGTRAPREM (ACHTER)

BANDEN
26 INCH, DRAADBANDEN

Als een fiets uit de jaren 1950 '2000' in zijn naam had, wekte dat de suggestie dat hij tegen de eeuwwisseling nog steeds zou rijden. De 2000 HK had het robuuste frame van de traditionele Hercules zoals dat sinds 1889 gebruikt werd, drie jaar na de start van het bedrijf in het Duitse Neurenberg.

De echte innovatie betrof het materiaal: het frame was gegoten uit silumin, een aluminiumlegering die goed gietbaar en corrosiebestendig was. Het oorspronkelijke ontwerp was van Hermann Klaue en de fiets werd gelanceerd tijdens de tentoonstelling in Frankfurt (1950). Hij baarde veel opzien, maar werd pas populair toen Hercules er in 1957 mee aan de slag ging. Korte tijd later verscheen hij op de markt als de 'fiets van de toekomst'.

Model 2000 HK was ontworpen voor mannen, vrouwen en kinderen. De aluminium onderdelen harmonieerden perfect met het frame, en met de Torpedo-drieversnellingsnaaf kon je uitstekend vaart maken en afremmen.

MERVIL Mervilex
KLEIN, MAAR PERFECT VORMGEGEVEN

SOORT
TOERFIETS, BIJZONDERE MODELLEN

LAND
FRANKRIJK

JAAR
ca. 1949

GEWICHT
17,5 KG

FRAME
GELAKT STAAL, 55 CM HOOG

VERSNELLINGEN
5, BRACKETVERSNELLING

REMMEN
VELGREM CENTRE PULL BERG LUX (VOOR),
TROMMELREM OP DE TRANSMISSIE (ACHTER)

BANDEN
26 INCH, DRAADBANDEN

In 1948 was het 'Vilex' versnellingssysteem van de B.U.E.C. (Boîte Universelle d'Equipements pour Cycles) dé sensatie van de Parijse tweewielersalon. Eerdere versnellingsbakjes rond het bracket hadden hoogstens drie of vier versnellingen, maar de Vilex had er vijf. Deze innovatie werd aangeprezen als het ultieme systeem voor iedere fiets.

De uitvinding van Vinex werd gebruikt door de merken Excell, Asterion en Mervil. Mervil en Vilex fuseerden zelfs onder de poëtische naam 'Mervilex', die het genot van het rijden op deze nieuwe fiets perfect weergaf. Advertenties in kranten toonden redelijk corpulente, sigaren rokende heren die moeiteloos een berg op fietsten of een karretje met een stevige dame op sleeptouw namen.

Mervil had zijn thuisbasis in Pontarlier in Frankrijk, nabij andere fabrikanten, zoals Alcyon. In de tien jaar van zijn bestaan (1941-1950) gold Mervilex als zeer vooruitstrevend, mogelijk alleen op basis van die ene Mervilex.

GARIN
REMMEN ZONDER HENDELS

SOORT
TOERFIETS, BIJZONDERE MODELLEN

LAND
FRANKRIJK

JAAR
ca. 1952

GEWICHT
16,6 KG

FRAME
GELAKT STAAL, 55,5 CM HOOG

VERSNELLINGEN
3, DERAILLEUR SUPER CHAMPION (ACHTER)

REMMEN
VELGREMMEN SIDE PULL M.D.L. DEPOSE

BANDEN
26 INCH, DRAADBAND

In 1903 won Maurice Garin de eerste Tour de France, en het jaar daarop de tweede, maar die tweede medaille werd hem weer ontnomen omdat hij een deel van de route per trein of auto had afgelegd. Garin was een kettingroker, die ook graag een verfrissend flesje rode wijn bij zich had (op de fiets!); hij werd niettemin 86 jaar oud.

Tijdens de glorieuze periode na de Tweede Wereldoorlog zette hij zijn eigen fietsfabriek op in combinatie met een professioneel raceteam. Toen de nederlander Wim van Est succes boekte op een van Garins fietsen en de Oostenrijker Rudi Valenta schitterde in de Bol d'Or in Parijs (1950), kreeg zijn bedrijf een forse impuls.

Garin maakte naast racefietsen ook toerfietsen, zoals het model hier afgebeeld, dat geen aparte remhendels heeft. Om te remmen moest je de scharnierende handvatten van het stuur naar elkaar toe drukken, en de consequentie daarvan was dat je niet gelijktijdig kon remmen en sturen.

AFA
VERING, MAAR DAN ANDERS

SOORT
TOERFIETS, BIJZONDERE MODELLEN

LAND
FRANKRIJK

JAAR
1954

GEWICHT
13,2 KG

FRAME
LUGLOOS GELAKT STAAL, 56 CM HOOG

VERSNELLINGEN
3, DERAILLEUR HURET TOURISTE LEGER

REMMEN
VELGREMMEN CENTRE PULL PYL

BANDEN
26 INCH, DRAADBANDEN

In de vroege jaren 1950 konden fietsers nog niet lekker voortzoeven op glad asfalt of keurig aangelegde fietspaden. Men fietste op klinkers, kinderkopjes of gravel. Om een prettig fietstochtje te kunnen maken, was een vorm van vering dus bijzonder welkom. De meeste vering zat overigens in de banden.

Het Franse AFA experimenteerde met ringen van fiberglas en een scharnierende stuurvoorbouw met veren. Het zadel zelf had geen veren en het vlakke stuur gaf evenmin iets mee, zodat de meeste oneffenheden door de fietser zelf werden opgevangen.

Het gaat bij deze fiets met name om het heldere ontwerp, dat in het oog springt. De pedalen 'hangen' aan één kogellager en de voet wordt niet door een asje ondersteund. Het idee was dat je voetzool ondanks sok en schoenzool precies op het denkbeeldige hart van het pedaal rustte.

CHARREL
GROOTS IN BESCHEIDENHEID

SOORT
TOERFIETS

LAND
FRANKRIJK

JAAR
ca. 1948

GEWICHT
12,7 KG

FRAME
LUGLOOS GELAKT STAAL, 60,7 CM HOOG

VERSNELLINGEN
2 x 5, DERAILLEUR CYCLO (VOOR), DERAILLEUR CHARREL (ACHTER)

REMMEN
VELGREMMEN CENTRE PULL CHARREL

BANDEN
26 INCH, DRAADBANDEN

De Charrel toerfiets was kwalitatief vergelijkbaar met een Herse of een Singer, maar zowel de reputatie als het aantal gefabriceerde exemplaren bleef achter.

Paul Charrel was een hartstochtelijk fietser, en zijn prachtige ontwerpen getuigen van vakmanschap en liefde; hij streefde niet primair naar roem. In 1936 opende hij in Lyon zijn fabriek, maar dat was ten tijde van de depressie en hij bleef een stuk onbekender dan zijn naaste buur, de befaamde constructeur André Reiss.

De hier afgebeelde Charrel is een klassiek voorbeeld: de buizen zijn zonder lugs (dus gebraseerd oftewel gesoldeerd) met elkaar verbonden (braseren werd beschouwd als de hoogste graad van vakmanschap in de framebouw). Alleen voor de vork heeft hij een fraaie, dubbele vorkkroon gebruikt die in spitse punten uitloopt. De Bowden kabels lopen door de buizen, achtervork, zitbuis en bovenbuis vormen een stabiele driehoek, en de Cyclo-derailleur is gemonteerd op een aangesoldeerde steun die uit vier gebogen stukjes buismateriaal is opgebouwd. Waar de spaken elkaar kruisen zijn ze voor extra stevigheid van het wiel aan elkaar gesoldeerd. Charrel liet deze ingenieuze remmen in 1946 patenteren. De remblokjes zijn uitsluitend instelbaar ten opzichte van de velg. Eenvoud is het kenmerk van het ware.

MERCIER MECADURAL Pélissier LICHTGEWICHT

SOORT
TOERFIETS

LAND
FRANKRIJK

JAAR
ca. 1950

GEWICHT
14,3 KG

FRAME
ALUMINIUM, 55,8 CM HOOG

VERSNELLINGEN
2 x 3, DERAILLEUR SIMPLEX

REMMEN
VELGREMMEN CENTRE PULL PYL

BANDEN
26 INCH, DRAADBANDEN

De ultralichte Pélissier was een van de eerste fietsen, waarvan alleen de verlichting zwaarder was dan strikt genomen nodig. Hij maakte deel uit van de Mecadural serie van aluminium fietsen die Mercier na de Tweede Wereldoorlog bouwde.

Het aluminium frame was eigenlijk nog niet volwassen: het materiaal kon nog niet gesoldeerd, gelast of gelijmd worden en de delen moesten dus met mechanische middelen (expanders, bouten, moeren) aan elkaar bevestigd worden. Aluminium leek echter wel het materiaal van de toekomst, en daarom werd er in Frankrijk veel mee geëxperimenteerd. Om spatborden van dunner materiaal te kunnen maken, werd er een ribbeltjesprofiel in aangebracht zodat het toch stevig genoeg was.

De fiets heeft remmen van PYL met een excentriek, en een bel die, net als een dynamo, op de band loopt.

De naam Pélissier komt van drie wielrennende broers uit de jaren 1920: Henri, de onstuimigste, en tourwinnaar, die later werd doodgeschoten door zijn vrouw, en Charles en Francis. De laatste twee hadden aanvankelijk een eigen fietsmerk, maar verkochten na 1945 hun rechten aan Mercier. Francis werd ploegleider bij la Perle, de ploeg waarmee Hugo Koblet in 1951 de Tour de France won.

SIMPLEX
SIMP EX – MADE IN FRANCE

RENÉ HERSE
Diagonale
CRÈME DE LA CRÈME VAN DE TOERFIETSEN

SOORT
TOERFIETS

LAND
FRANKRIJK

JAAR
1969

GEWICHT
12,3 KG

FRAME
GELAKT STAAL, 56,3 CM HOOG

VERSNELLINGEN
2 x 5, DERAILLEUR HURET LUXE

REMMEN
VELGREMMEN CENTRE PULL
WEINMANN 610 VAINQUEUR 999

BANDEN
28 INCH, DRAADBANDEN

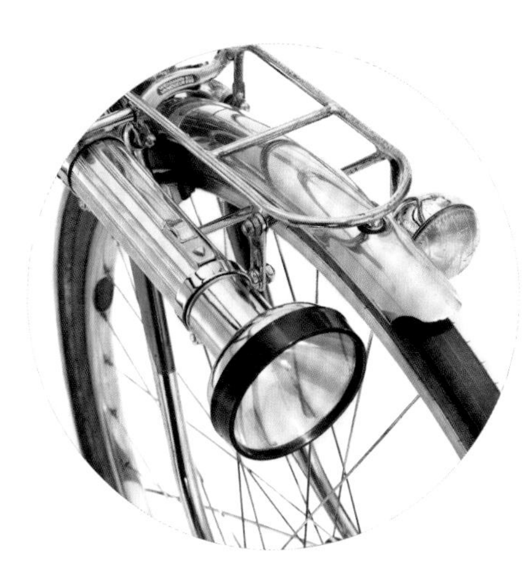

René Herse had een gespecialiseerde fietswinkel in Levallois-Perret, een voorstad van Parijs, en niet ver van Alex Singer, de beroemde supervakman die werd gezien als de patroonheilige van alle Franse framebouwers.

Ieder frame van Herse was een kunstwerk: vrijwel alle onderdelen waren gesoldeerd, en de kwaliteit van de componenten en het vakmanschap stonden garant voor de unieke kwaliteiten van Herse-producten.

De prijs was er dan ook naar: gemiddeld kostten zijn fietsen drie à vier modale maandsalarissen, maar de ware liefhebber liet zich daar niet door weerhouden.

De naam 'Diagonale' verwees naar het ware doel van deze fiets: 'les Diagonales', drie populaire langeafstandsroutes tussen driemaal twee steden op de hoekpunten van de zeshoek die Frankrijk op de kaart vertoont.

BREV CAMP
SEDIS

PHILIPPE
PROFESSIONNEL

RENÉ HERSE Demontable
DE EERSTE VOUWFIETS

SOORT
VOUWFIETS, TOERFIETS

LAND
FRANKRIJK

JAAR
1968

GEWICHT
11 KG

FRAME
GELAKT STAAL, 58,9 CM HOOG

VERSNELLINGEN
2 x 5, DERAILLEUR HURET LUXE

REMMEN
VELGREMMEN CENTRE PULL
WEINMANN 610 VAINQUEUR 999

BANDEN
28 INCH, DRAADBANDEN

Fietsen van Herse worden bewonderd om hun perfectie en de prachtig uitgevoerde details, en dat geldt ook voor dit model 'Demontable'. Het ontwerp was bedoeld als een luxe fiets die uit elkaar genomen kon worden en dus heel gemakkelijk om mee te nemen.

Op de Parijse tentoonstelling in de vroege jaren 1960 werd hij opgevouwen – immers een exemplaar van de eerste generatie vouwfietsen – in een kofferbak getoond. De raceprestaties die dr. Clifford Graves er in de Verenigde Staten mee neerzette, zorgden voor een impuls: de 'Demontable' maakte naam via deze trans-Atlantische reclame. Amerikanen namen hem mee op reis om Europa op hun eigen fiets te kunnen bekijken.

De Bike Friday New World Tourist (pag. 206) borduurde dertig jaar later voort op dit ontwerp.

WINORA
Take-Off
VAN GROOT NAAR KLEIN

SOORT
VOUWFIETS

LAND
DUITSLAND

JAAR
1989

GEWICHT
11,1 KG

FRAME
GELAKT STAAL, 57 CM HOOG

VERSNELLINGEN
2 x 6, DERAILLEUR SACHS ARIS NEW SUCCESS

REMMEN
VELGREMMEN SIDE PULL MODOLO

BANDEN
28 INCH, DRAADBANDEN

Toen beide Duitslanden in 1990 verenigd werden, kreeg Winora in Schweinfurt in Beieren toegang tot een veel grotere markt en met een agressieve marketingstrategie en een scherp oog voor concurrentie kwam de fabriek al snel met nieuwe ontwerpen.

De 'Take-off' van Winora was een ontwerp van Ernst Brust, dat opgevouwen kon worden en paste in een speciale koffer. Stuur, voorwiel en zadel waren afneembaar met een snelspanner. De pedalen zaten op een bajonetsluiting en konden er dus gemakkelijk af. Door de snelspanner uit het achterwiel te trekken bleven de cassette en de ketting zitten en kreeg je dus geen smeer aan je handen. De achtervork werd losgenomen met een kliksluiting, en dan kon de liggende achtervork naar voren scharnieren, zodat het geheel in een koffer paste. De hier afgebeelde fiets weegt iets meer dan 11 kg. In 1988 waren de Sachs-Huret New Success ARIS (Advanced Rider Index System) onderdelen het beste wat de technologie te bieden had. Met het scheef geplaatste parallellogram, de verende draaipunten en zijn hoekige vormgeving en de plaatsing van de stelschroeven was het een opmerkelijk en eigen ontwerp, dat redelijk succesvol was, al haalde het niet het niveau van Shimano, dat nog verder ging en elk kettingkransje van de cassette een eigen specifiek profiel gaf om nog soepeler te schakelen. Dit exemplaar is overigens uitgerust met een GS-derailleur.

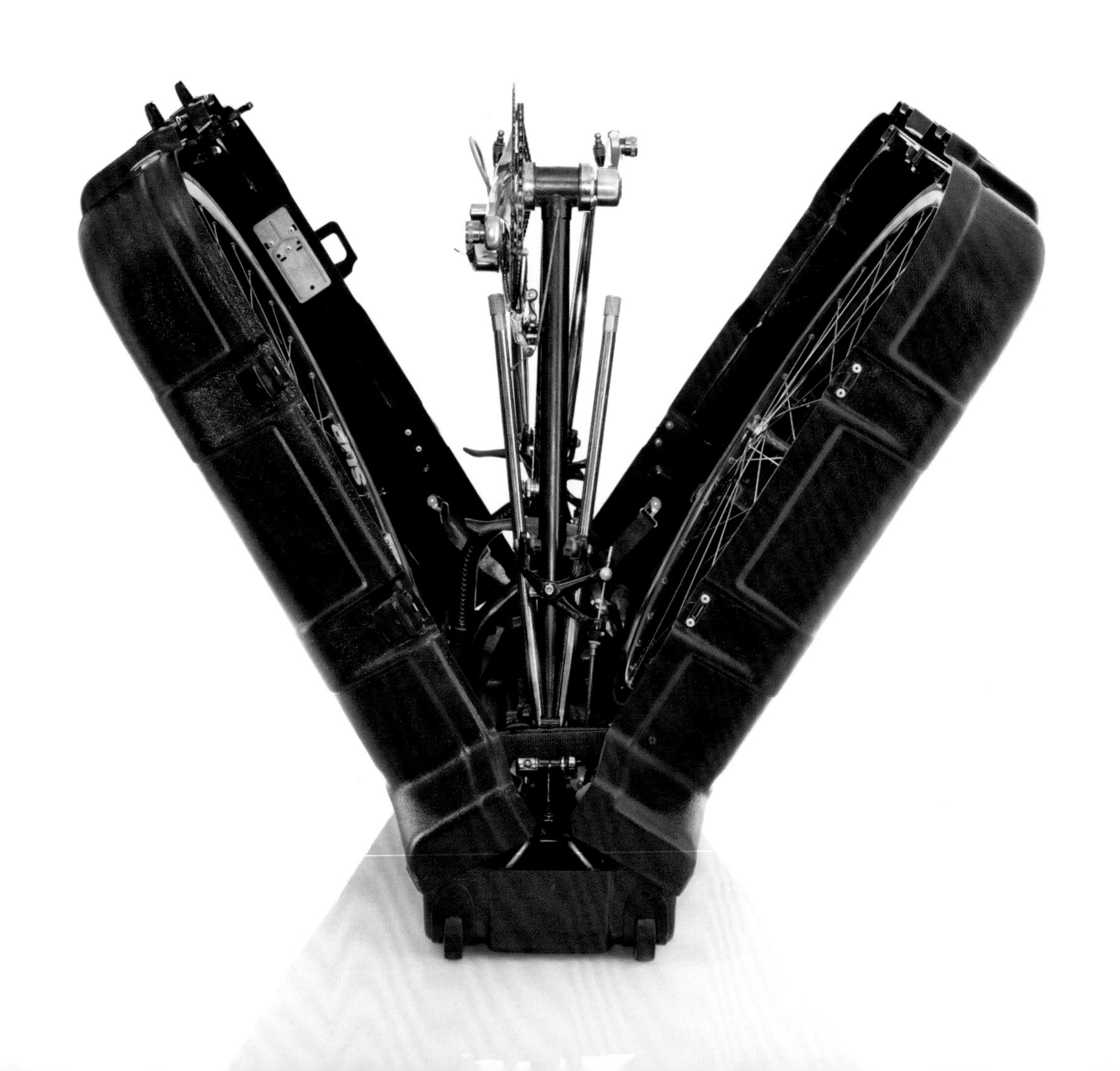

WINORA Take-Off

BRIDGESTONE
Grandtech
NIET ALLEEN BANDEN

SOORT
VOUWFIETS

LAND
JAPAN

JAAR
1986

GEWICHT
13,3 KG

FRAME
GELAKT STAAL, 54,2 CM HOOG

VERSNELLINGEN
6, DERAILLEUR SUNTOUR

REMMEN
VELGREMMEN SIDE PULL DIA COMPE

BANDEN
28 INCH, DRAADBANDEN

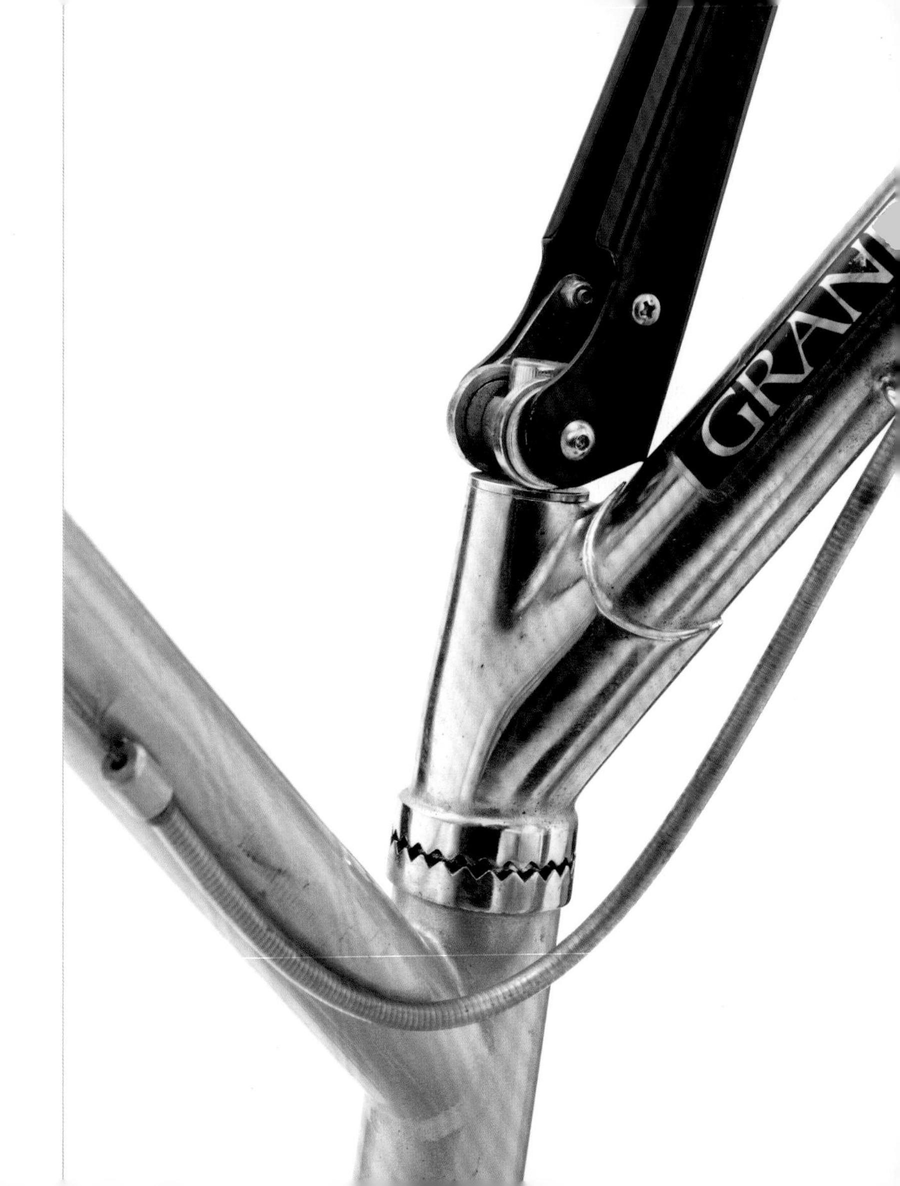

Bridgestone is natuurlijk bekend vanwege zijn banden, en de fietsen van het merk zijn (evenals de motoren die tussen 1960 en 1971 werden geproduceerd) altijd veel minder bekend geweest. Dat is niet terecht, zeker waar het gaat om de bijzondere producten die in een bepaalde periode werden afgeleverd.

Grant Petersen was de man achter de Amerikaanse divisie en hij liet zich leiden door visie en vurige ambitie. Hij negeerde de trends en concentreerde zich op innovatieve, intelligente oplossingen, compacte onderdelen en Japanse precisie en betrouwbaarheid, wat resulteerde in slimme, unieke race- en toerfietsen voor een betaalbare prijs.

De Bridgestone Grandtech is bijvoorbeeld een buitengewoon handzame, fraai uitgevoerde vouwfiets. Stuur en pedalen kunnen ingeklapt worden, het frame vouwt vanuit het midden dubbel, en toch rijdt hij als een lichtgewicht damesracefiets.

Toen Bridgestone zich in 1994 uit de Verenigde Staten terugtrok, begon Petersen zijn eigen bedrijf, Rivendell, dat tot op de dag van vandaag floreert. In Japan maakt ook Bridgestone nog steeds fietsen, vooral voor de Keirin-wedstrijden.

Overigens werkte Bridgestone ook samen met autofabrikant Alex Moulton, en de banden en het moderne Moulton F-frame komen uit Japan.

DIAMANT
Handy Bike
VOOR DE SPIERBUNDELS

SOORT
VOUWFIETS, BIJZONDERE MODELLEN

LAND
DUITSLAND

JAAR
1993

GEWICHT
15,1 KG

FRAME
ROESTVRIJ STAAL, 54 CM HOOG

VERSNELLINGEN
7, VERSNELLINGSNAAF SHIMANO NEXUS

REMMEN
VELGREM CENTRE PULL SHIMANO ALTUS (VOOR),
TERUGTRAPREM (ACHTER)

BANDEN
26 INCH, DRAADBANDEN

Een roestvrij stalen frame heeft als voordelen dat het (uiteraard) niet roest, dat er geen krassen op komen als je het achteloos in elkaar klapt en dat je het niet hoeft te lakken. Een nadeel is dat het materiaal een hoog soortelijk gewicht heeft, waardoor het frame van de Diamant Handy Bike idioot zwaar is, en dat is zeker bij een vouwfiets iets om rekening mee te houden.

Dat 'Handy' suggereert 'klein en licht', maar dat blijkt bij een gewicht van ruim vijftien kilo een loze belofte. Je kunt de bracket gemakkelijk losklikken en het voorste deel van het frame naar achteren vouwen, maar als je de fiets dan op wilt tillen, moet je wel geregeld in de sportschool komen.

Zelfs rijden met deze kolos vergt het nodige van je, en op een label op het frame staat dan ook dat hij 'niet geschikt is voor normaal toegankelijke gebieden' (wegen, bospaden of landweggetjes).

Het frame werd in 1991 gepatenteerd door John S. Strozyk, een Amerikaan in Hannover, die het de 'intraframe Vouwfiets Bicycle' noemde, en de Diamant Handy Bike is er duidelijk op geënt. De fiets werd in 1993 geïntroduceerd op de IFMA (Internationale Fahrrad- und Motorrad-Ausstellung) in Keulen, een fiets- en motortentoonstelling en later dat jaar op de markt gebracht voor 1500 Duitse mark ongeveer twee keer zo duur als een standaard vouwfiets.

DIAMANT
HANDY

DIAMANT
HANDY

BMW
Super-Tech
VOOR LIEFHEBBERS VAN RUW TERREIN

SOORT
VOUWFIETS, MOUNTAINBIKE

LAND
DUITSLAND

JAAR
1997

GEWICHT
13,3 KG

FRAME
ALUMINIUM, GELAKT STAAL, 48,3 CM HOOG

VERSNELLINGEN
3 x 9, DERAILLEUR SHIMANO XTR

REMMEN
V-BRAKES SHIMANO XTR

BANDEN
26 INCH, DRAADBANDEN

De karakteristieken van deze mountainbike doen sterk denken aan de auto's en motoren waarvan deze fabrikant bekend is. (Zie ook de Subaru 2WD Dual Power, pag. 54)

De telescoopvork (een product van HS Products dat door BMW werd overgenomen) zorgde voor een 'antiduik' effect, zodat de fiets bij het remmen nauwelijks naar voren kwam en de berijder dus weinig risico liep om over het stuur te kieperen. Daar staat tegenover dat het systeem minder subtiel reageert dan met een goede suspensievork.

De Super-Tech was niettemin een revolutionair stukje werk: een volledig geveerde vouwfiets die prima geschikt was voor bos- of bergritten. De aluminium frames werden overigens in Italië geproduceerd. Bij de aankoop kreeg de klant afneembare spatborden, verlichting, een luchtpompje voor de dempers, een duidelijke gebruiksaanwijzing en een reparatiehandboek.

SUBARU 2WD Dual Power AANDRIJVING MET 2 RIEMEN

SOORT
MOUNTAINBIKE, BIJZONDERE MODELLEN

LAND
OOSTENRIJK / TAIWAN

JAAR
1996

GEWICHT
15,4 KG

FRAME
BLANK GELAKT STAAL, 48,2 CM HOOG

VERSNELLINGEN
3 x 7, DERAILLEUR SHIMANO STX

REMMEN
CANTILEVERREM DIA COMPE

BANDEN
26 INCH, DRAADBANDEN

Alle onderdelen die een auto perfecte tractie verschaffen, moeten ook voor een fiets gebruikt kunnen worden, moet Günter Kappacher gedacht hebben toen hij in de late jaren 1980 mountainbikes begon te bouwen. Hij werkte als fietsenmaker en had daarnaast een baan in een meubelzaak, en in de loop der tijd kristalliseerde hij zijn ideeën uit.

Kappacher ontwierp een 2WD-systeem, dat Oettinger, specialist in autotuning, in 1993 realiseerde. Wielrenner Paul Pollanka baande vervolgens de weg naar massaproductie. Met zijn talent voor technische fratsen loste hij de laatste probleempjes op en zette hij de productie in Taiwan op.

Het voorwiel werd aangedreven met twee distributieriemen, en het systeem werd gepatenteerd onder de naam Progear. Ook andere fietsen werden ermee uitgerust, maar in de tijd die nodig was om het idee helemaal uit te ontwikkelen werden vrijwel alle mountainbikes voorzien van een verende voorvork. Het door Pollanka ontwikkelde prototype met de AMP-vork van Horst Leitner was niet langer interessant.

Pas halverwege de jaren 1990 toonden een paar autofabrikanten toch weer interesse in het maken van fietsen (zie de BMW Super-Tech op pag. 52). Subaru kon zich geen betere partner verlangen dan de Progear, en tussen 1996 en 1997 werden 180 2WD's aan Subaru Duitsland verkocht.

BREEZER

Beamer

EEN ANDERE VORM VAN VERING

SOORT
MOUNTAINBIKE

LAND
VERENIGDE STATEN

JAAR
ca. 1992

GEWICHT
11,6 KG

FRAME
GELAKT STAAL/CARBON, IN HOOGTE VERSTELBAAR

VERSNELLINGEN
3 x 7, DERAILLEUR SHIMANO DEORE XT

REMMEN
CANTILEVER SHIMANO XTR

BANDEN
26 INCH, DRAADBANDEN

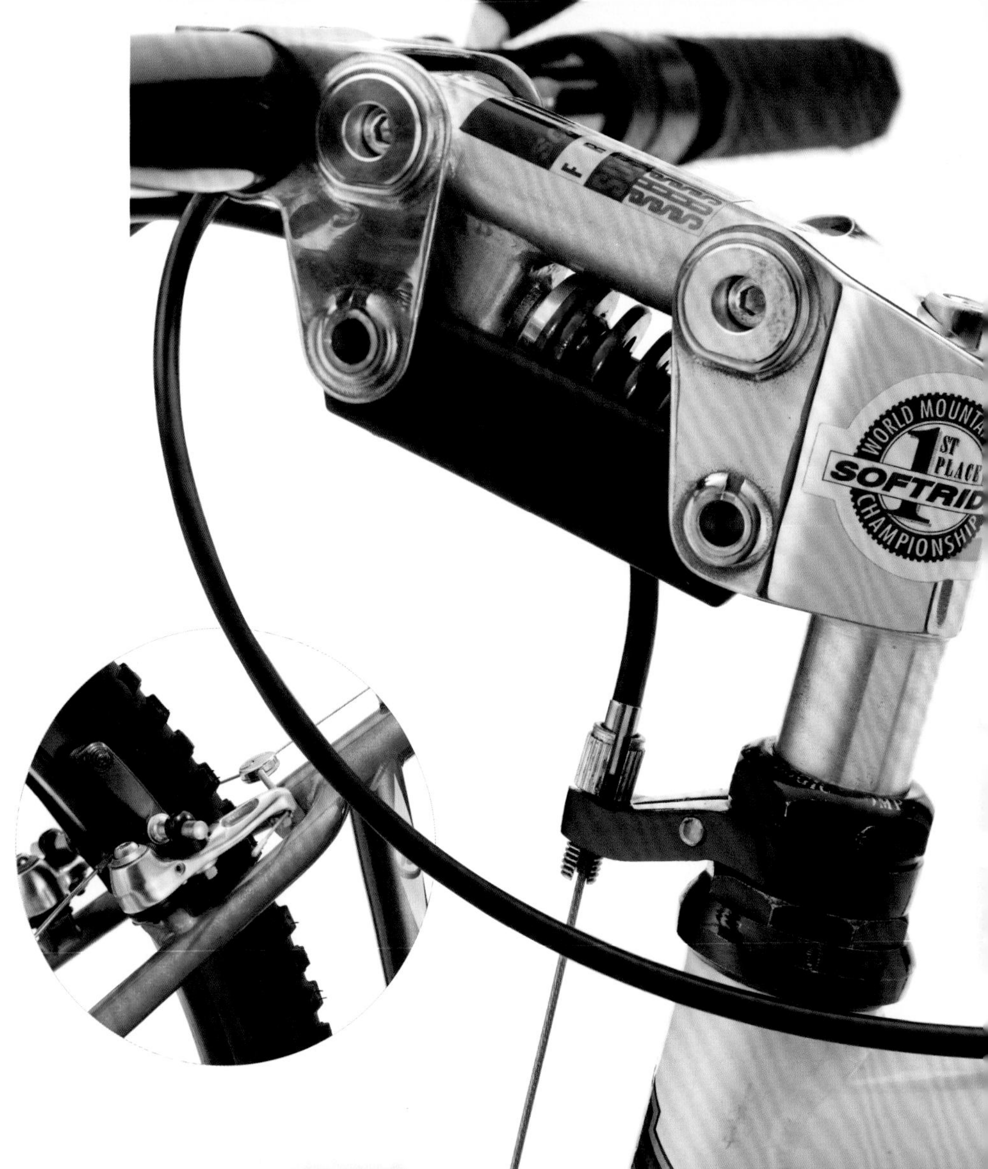

Softride's Suspension Systems was een idee van Mike en Jim Allsop, waarmee ze op de Interbike International Trade Expo van 1989 in Californië prompt de eerste prijs wonnen. Het ongebruikelijke concept met zwevend zadel op een bladveer was niet helemaal origineel (zie de Vialle Vélastic op pag. 16), maar in 1991 werd de eerste mountainbike met zo'n veerarm gebouwd. De legendarische Joe Breeze was er al bij betrokken en hij kwam op het idee om de fiets, naast het carbon veerelement ook te voorzien van voorvering in de stuurvoorbouw. Dit veersysteem, de 'Softride', bleek een succes, want de 'Beamer' was de eerste volledig geveerde mountainbike die in 1992 het wereldkampioenschap downhill won. De winnende fiets had overigens een stalen veer, en het frame onder het veerelement was ook van staal.

Later werd duidelijk dat deze constructie beter geschikt was voor de triathlon. Van de Breezer Beamer worden nog steeds nieuwe modellen gemaakt.

C-4
LESS IS MORE

SOORT
MOUNTAINBIKE

LAND
ITALIË

JAAR
ca. 1988

GEWICHT
10,5 KG

FRAME
GELAKT CARBON, 54 CM HOOG

VERSNELLINGEN
3 x 8, DERAILLEUR SHIMANO DEORE

REMMEN
CANTILEVER SHIMANO XT

BANDEN
26 INCH, DRAADBANDEN

De C-4 was lichter door het weglaten van de staande framebuis, en tegelijkertijd kreeg het frame daardoor juist een beetje verticale vering. Het idee greep terug op een voorganger van meer dan honderd jaar eerder: de Coventry Machinst' Company in de Verenigde Staten experimenteerde toen met frames zonder zitbuis op hun 'Swift' safety bike. In 1985 nam de C-4 dit concept over, en in 1989 bouwde fabrikant Colnago een mountainbike, de C35, op basis van dit ontwerp.

Het materiaal van het C-4 frame oogde uiterst innovatief met een echte monocoque volgens hun eigen NJC-methode (No Joint Construction – zonder (gelijmde) verbindingen). De carbon voorvork dempte natuurlijk niet geweldig, en daarom werd de fiets uitgerust met een verende voorbouw.

SCHAUFF
Wall Street
RED DOT DESIGN PRIJS

SOORT
STADSFIETS

LAND
DUITSLAND

JAAR
1993

GEWICHT
11,6 KG

FRAME
GELAKT CARBON, 50 CM HOOG

VERSNELLINGEN
3 x 8, DERAILLEUR SHIMANO XTR

REMMEN
CANTILEVER SHIMANO XTR

BANDEN
26 INCH, DRAADBANDEN

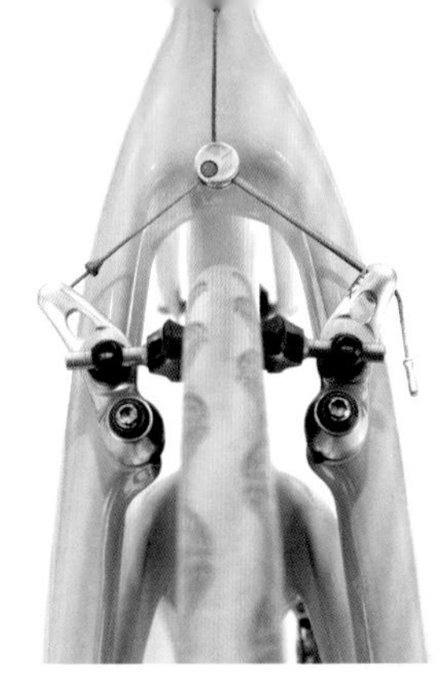

Het moderne ontwerp van de Schauff Wall Street staat in schril contrast met de traditionele modellen van dezelfde ontwerper. De fabriek die Hans en Barbara Schauff in 1932 in Keulen opzetten, produceerde frames voor racefietsen – op een steenworp afstand van de Albert Richter Bahn waar de zesdaagse werd gehouden, de Six Day Races. Toen oorlogsschade hen dwong een andere locatie te zoeken, koos Schauff voor de stad Remagen.

In 1991 begon Schauff aan het ontwerp voor een paradepaardje, en met carbon en thermoplast bouwde hij volgens de toen gangbare ballonmethode fantastische frames. Het carbon werd gedrapeerd rond een eenmalig bruikbare, opblaasbare mal. Na uitharding liet men de mal leeglopen om hem te kunnen verwijderen. In 1992 won de Schauff Wall Street de 'Roter Punkt', de ultieme onderscheiding op het gebied van Duits design.

De Wall Street is een als mountainbike vermomde toerfiets, maar met smalle 28-inch racebandjes. De liefde voor details en de door de buizen geleide kabels getuigen van een streven naar perfectie, en hoewel de voorbouw de vering levert, ziet het zadel er behoorlijk ongemakkelijk uit. Van dit model zijn er ongeveer twintig gemaakt.

SLINGSHOT
VARIANT OP DE ONDERBUIS

SOORT
VOUWFIETS, BIJZONDERE MODELLEN

LAND
VERENIGDE STATEN

JAAR
ca. 1991

GEWICHT
11,9 KG

FRAME
GELAKT STAAL, 47 CM HOOG

VERSNELLINGEN
3 x 7, DERAILLEUR SHIMANO XTR

REMMEN
CANTILEVER SHIMANO XTR

BANDEN
26 INCH, DRAADBANDEN

Het ontwerp van de Slingshot was het gevolg van een ongeluk in 1985, toen de onderbuis van de Mini Trail-motorfiets van Mark Groendal uit Grand Rapids, Michigan, brak. Hij kwam met een verrassend comfortabele nieuwe constructie, die op de lange duur helaas niet stevig genoeg zou blijken.

Toen hij bezig was met het ontwerpen van een verende fiets zonder verende voorvork of verende achterdriehoek, bleef dat idee door zijn hoofd spoken en probeerde hij het uit met een oude ski bij wijze van bovenbuis. Bij latere varianten was sprake van drie stalen bovenbuizen en twee kabels bij wijze van onderbuis. In zijn definitieve vorm had de fiets één bovenbuis die met een veer van glasvezel aan de zadelpenbrug bevestigd was en een stalen kabel met een trekveer. De mate van comfort hangt af van de afstelling van de vering. De onderdelen van het frame zien er op het eerste gezicht heel normaal uit, maar zijn op sommige plaatsen inwendig verstevigd om verbuigen te voorkomen, zoals dat destijds met Groendals Trail wel gebeurde.

CANNONDALE F2000

GESTROOMLIJNDE PERFECTIE

SOORT
STADSFIETS

LAND
VERENIGDE STATEN

JAAR
ca. 2002

GEWICHT
10,1 KG

FRAME
GELAKT ALUMINIUM, 51,9 CM HOOG

VERSNELLINGEN
3 x 9, DERAILLEUR SHIMANO XTR

REMMEN
SCHIJFREMMEN MAGURA MARTA

BANDEN
28 INCH, DRAADBANDEN

Voor wie een originele Cannondale mountainbike liever op vlak terrein wilde gebruiken, was het eenvoudig verwisselen van de banden door profielloze 700C-exemplaren een koud kunstje. De fabrikant bouwde een aantal modellen voor op de weg, en hij gebruikte daarbij de befaamde 'lefty', de voorvork met eenzijdige wielophanging die ruim tien jaar een begrip was in de mountainbikewereld.

De Cannondale F2000 is herkenbaar aan zijn 'halve vork'. Het is een lichtgewicht fiets als resultaat van de perfecte balans tussen materiaal en constructie. De onderdelen voor de vering die bij eerdere modellen in de balhoofdbuis zaten, zijn verplaatst naar de linkervorkpoot. Door de rechtervorkpoot weg te laten wordt de onafgeveerde massa beperkt. De CAAD (Cannondale Advanced Aluminium Design) 5 frames zijn met de hand gelast van 6061-T6 aluminium, een legering met goede mechanische eigenschappen die zich uitstekend laat lassen. Daarna moet het frame wel thermisch gehard worden, en kan het niet meer worden nagericht of gerepareerd.

BIOMEGA MN01
EEN SUPERIEUR ONTWERP

SOORT
STADSFIETS

LAND
DENEMARKEN

JAAR
ca. 2001

GEWICHT
11,9 KG

FRAME
GELAKT ALUMINIUM,
44,5 CM HOOG

VERSNELLINGEN
14 ROHLOFF SPEED HUB VERSNELLINGSNAAF

REMMEN
SCHIJFREMMEN MAGURA MARTA

BANDEN
26 INCH, DRAADBANDEN

De Biomega MN01 is de ultieme designerfiets – het dynamische profiel lijkt op een sprinter in de startblokken. Jens Martin Skibsted en Elias Grove Nielsen concentreerden zich op het bouwen van een onconventionele fiets en riepen daarbij de hulp in van een onconventionele derde partij: industrieel ontwerper Marc Newson.

De schetsen van Skibsted voor een hoogwaardige stadsfiets pasten prima bij Newsons ideeën voor een bijzonder ontwerp. De Biomega MN01 heeft een ongebruikelijk frame van smeedbaar aluminium dat is opgebouwd uit twee helften die elkaars spiegelbeeld zijn en die langs de mediale lijn aan elkaar gelast zijn. De fiets maakt veel geluid omdat het frame als klankkast werkt. De Rohloff Speedhub versnellingsnaaf met zijn veertien geïntegreerde, onderhoudsvrije versnellingen waarmee je bovendien vanuit stilstand kunt schakelen, is het resultaat van durf, ondernemerschap en geniaal denkwerk van één man: Bernhard Rohloff. Het frame is een uniek staaltje design, maar het is even zwaar als en een stuk duurder dan een gemiddelde mountainbike, waarmee de MN01 echt zowel wat status als wat het prijskaartje betreft een designerfiets is.

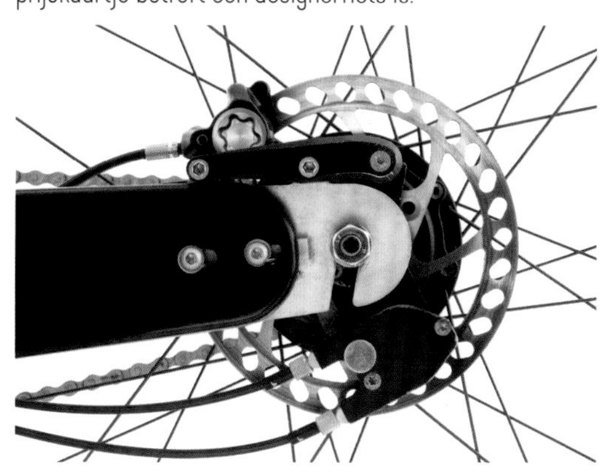

BIRIA Unplugged TM-Design

VAKMANSCHAP IS KOSTBAAR

SOORT
STADSFIETS, BIJZONDERE MODELLEN

LAND
DUITSLAND

JAAR
ca. 1998

GEWICHT
12,2 KG

FRAME
BLANK GELAKT CARBON, 50 CM HOOG

VERSNELLINGEN
3 x 8, DERAILLEUR SACHS QUARZ

REMMEN
SCHIJFREMMEN SACHS POWER DISC

BANDEN
26 INCH, DRAADBANDEN

Een mountainbike als deze is zelfs als hij onder de modder zit nog van een uitzonderlijke schoonheid. Het TM-Design zag er fantastisch uit, maar de prestaties vielen behoorlijk tegen.

Voor alles is carbon gebruikt en de kosten waren gigantisch. Zo was er voor en achter eenzijdige wielophanging, maar door de vorm van de naaf en de spaken is de fiets als geheel toch perfect in evenwicht. Vering werd over het hoofd gezien en de productiekosten maakten het tot een onmogelijk project: er werden er niet meer dan zo'n 27 gemaakt, waarvan meer dan de helft werd omgebouwd tot een normaler model; de overige frames werden ongemonteerd geveild.

Een fiets met een prijskaartje van 14.000 tot 22.000 Duitse mark kon in een tijd dat andere mountainbikes tussen de 3000 en 7000 Duitse mark kostten natuurlijk nooit succesvol zijn. Zelfs het 24-karaats goud waarmee de ketting van het duurste model was verguld maakte geen verschil (en verborg maar gedeeltelijk het feit dat het frame heel instabiel was als je staande fietste).

designed by

Unplugged by BIRIA

LOTUS Sport 110
EEN MEDAILLEWINNAAR

SOORT
RACEFIETS

LAND
VERENIGD KONINKRIJK

JAAR
1994

GEWICHT
9,9 KG

FRAME
BLANK GELAKT CARBON,
ZADEL IN HOOGTE VERSTELBAAR

VERSNELLINGEN
2 x 8, DERAILLEUR SHIMANO DURA-ACE

REMMEN
VELGREMMEN SIDE PULL SHIMANO DURA-ACE

BANDEN
27 INCH, TUBES

Toen de Internationale Wielerunie (UCI) begin jaren 1990 de strikte regelgeving op het gebied van fietsframes enigszins aanpaste, grepen ontwerper Mike Burrows en de technici van Lotus hun kans. Een monocoque frame waar Burrows al sinds halverwege de jaren 1980 aan werkte, werd verder ontwikkeld; ook zij kozen voor carboncomposiet, zodat een ultralichtgewicht frame werd gerealiseerd.

Het resultaat, de Lotus Sport 108, was een ware revolutie. Tijdens de Olympische Spelen van 1992 behaalde de Brit Chris Boardman er goud mee op de achtervolging, en kort daarna vestigde hij ook een nieuw wereldrecord op de 5000 meter.

Op dit ontwerp volgde de 'commerciële versie'. Die was betaalbaarder.

CINETICA Giotto
EEN ULTIEM COLLECTOR'S ITEM

SOORT
RACEFIETS

LAND
ITALIË

JAAR
1990

GEWICHT
9,8 KG

FRAME
GELAKT CARBON, 57,6 CM HOOG

VERSNELLINGEN
2 x 8, DERAILLEUR CAMPAGNOLO

REMMEN
VELGREMMEN CENTRE PULL
CAMPAGNOLO C RECORD DELTA

BANDEN
27 INCH, TUBES

Het monocoque carbon frame van de Cinetica Giotto leek superlicht, maar door de productiemethode was het dat allerminst. De eerste prototypen bestonden uit twee verbonden semi-monocoques, maar de latere versie met een echte monocoque had wel uitstekende eigenschappen.

Het frame van Giotto was zo'n 500 gram lichter dan de beste stalen frames uit die periode, terwijl de indrukwekkende torsiestijfheid alle andere ontwerpen van de late jaren 1980 ver achter zich liet. De torsie van de trapas ten opzichte van de lengte as van het frame was minimaal en onmerkbaar voor de berijder. Het rijcomfort was uitzonderlijk dankzij het ontbreken van een zitbuis.

De maker van de Cinetica Giotto was Andrea Cinelli, zoon van de legendarische Cino Cinelli (zie de Cinelli Laser op pag. 250), die samenwerkte met wetenschappers van de universiteit van Milaan.

De fiets had unieke elementen, zoals een computer in het zadel die alle gegevens registreerde. Er waren plannen om de Giotto in productie te nemen en de toekomst zag er zonnig uit, tot een van de meest platvloerse tegenslagen roet in het eten gooide: de matrijzen voor de frames braken, toen er pas vijftig gemaakt waren. Deze exemplaren van de voltooide fiets zijn zeldzame collector's items.

KESTREL 200 SCi
ELECTRISCH SCHAKELEN

SOORT
RACEFIETS

LAND
VERENIGDE STATEN

JAAR
ca. 1993

GEWICHT
9,7 KG

FRAME
GELAKT CARBON, 56 CM HOOG

VERSNELLINGEN
2 x 8, DERAILLEUR MAVIC ZAP MAVIC ZAP

REMMEN
VELGREMMEN SIDE PULL MAVIC

BANDEN
27 INCH, TUBES

'Met dit ontwerp is de moderne fiets definitief een nieuwe weg ingeslagen,' schreef een Amerikaan in een verslag over de Kestrel. Dit was een fiets die de toekomst dichterbij bracht. Er waren natuurlijk andere opwindende ontwikkelingen, zoals de monocoque van carbon (zie de Bianchi C-4 op pag. 256, de Cinetica Giotto op pag. 74 en de Lotus Sport op pag. 72), en de snel veranderende constructietechnieken, zoals de aluminium lugs (zie de Colnago Carbitudo Pista op pag. 84), maar de Kestrel hoorde zeker bij de nieuwe generatie.

De Mavic ZAP was de eerste elektromechanische derailleur. Het was een geheel nieuw concept, dat door de ploeg van RMO in de Tour de France en door ONCE in de Vuelta werd getest. De opvolger, de draadloze en elektronisch gestuurde Mavic Mektronic uit 1999, werd niet door de internationale wielrenunie, de UCI, geaccepteerd.

Elektronische schakelsystemen zijn sinds 2009 op de markt gebracht door fabrikanten als Campagnolo en Shimano.

INBIKE / TEXTIMA
NA DE VAL VAN DE MUUR

SOORT
RACEFIETS, SINGLE-SPEED

LAND
DUITSLAND/OOST DUITSLAND

JAAR
ca. 1990

GEWICHT
8,7 KG

FRAME
GELAKT STAAL, 56,8 CM HOOG

VERSNELLING
VAST VERZET

BANDEN
27 INCH, TUBES

Deze tijdritfiets heeft zijn wortels in het voormalige Oost-Duitsland, maar werd pas daadwerkelijk gebouwd na de hereniging van beide Duitslanden. Een gespecialiseerde afdeling van Textima, een bedrijf dat zich voornamelijk specialiseert in industriële naaimachines, maakte ook zeer hoogwaardige racefietsen. De precisie en kwaliteit van deze ontwerpen maakten snel furore op de Oost-Duitse wielerscholen van Berlijn en Erfurt.

Na de hereniging heeft Christoph Hähnle het erfgoed van Textima zorgvuldig beheerd en voortgezet onder de naam Inbike. De verstevigingsplaten waren kenmerkend. Het carbon stuur van het Italiaanse bedrijf 3ttt werd ontworpen door Paolo Martin, de beroemde designer van Pininfarina, en paste er perfect bij. In de tweede helft van de jaren 1980 zag je dergelijke sturen heel veel op tijdritfietsen.

Het formaat van de Dura-Ace-10-onderdelen is subtiel teruggebracht: zo heeft de ketting bijvoorbeeld een steek van 10 mm [standaard is 12,7 mm], zodat de schakels kleiner zijn en het gewicht minder. Dergelijke bijzondere aanpassingen bewijzen hun diensten tijdens de sprint. In de fietswereld is deze uitvinding toch terzijde geschoven, misschien wel omdat de standaardmaten, anders dan deze miniketting, hun betrouwbaarheid hadden bewezen.

SCHAUFF Aero
GETEST IN DE WINDTUNNEL

SOORT
RACEFIETS, SINGLE-SPEED

LAND
WEST-DUITSLAND

JAAR
1980

GEWICHT
7,7 KG

FRAME
GELAKT STAAL, 46,5 CM HOOG

VERSNELLING
VAST VERZET

BANDEN
27 INCH, TUBES

Aan het eind van de jaren 1970 en het begin van de jaren 1980 werd de aerodynamica voor iedereen in de snelheidssporten ineens een factor van betekenis.

Tests in windtunnels waren gemeengoed bij de autofabrikanten en Schauff maakte gebruik van de tunnels van Mercedes bij het ontwikkelen van een ongeëvenaard snelle baanfiets.

Het stuur van de Schauff Aero was geïntegreerd in de voorvork, wat geen nieuw concept was: Assos had al in 1978 een vergelijkbare constructie ontwikkeld. Ook in de DDR, de Sovjet-Unie en de Verenigde Staten bestonden al soortgelijke modellen.

Ondanks dat waren de fietsen van Schauff een aantrekkelijke keuze voor profrenners, zoals Freddy Schmidke (tweede op het WK achtervolging in 1982) en Petra Stegherr (in 1984 Duits kampioen). Stegherr behaalde de zevende plaats op het Wereldkampioenschap van dat jaar en eindigde als veertiende in de Tour de France voor vrouwen in 1985.

PEKA Peka
IN DE SLIPSTREAM

SOORT
RACEFIETS, SINGLE-SPEED

LAND
NEDERLAND

JAAR
ca. 1985

GEWICHT
11 KG

FRAME
GELAKT STAAL, 59,1 CM HOOG

VERSNELLING
VAST VERZET

BANDEN
24 INCH, TUBE (VOOR),
27 INCH, TUBE (ACHTER)

Na het Wereldkampioenschap van 1994 werd het onderdeel stayeren geschrapt, ondanks het feit dat het in het begin van de twintigste eeuw het meest populaire onderdeel van het baanfietsen was. Tegenwoordig is het rijden achter de zware motoren een vrijwel vergeten discipline.

De fietsen die in dergelijke races werden gebruikt, waren speciaal ontworpen om optimaal profijt te hebben van de slipstream van de gangmaakmotor, en de Peka van Peter Serier uit de werkplaats achter de winkel van Piet Peperkamp in Amsterdam was ideaal voor dat doel. Met de Peka konden snelheden van tegen de 100 km bereikt worden, wat het kettingwiel met 66 tandjes verklaart. Die overbrenging maakt het onmogelijk om zonder hulp weg te fietsen, en als de stayer eenmaal achter de motor rijdt, moet hij absoluut zorgen dat hij in de slipstream van de gangmaker blijft. Door het 24-inch voorwiel en de omgekeerde voorvork (die ook voor extra stabiliteit zorgt) kan de rijder heel dicht bij de gangmaakmotor rijden, en als hij er te dicht op zit, raakt hij de rol aan de achterkant waardoor het wiel sterk afremt.

Als een andere motor passeerde kon de luchtstroom tegen het schijfwiel (een dure, geavanceerde innovatie) de fiets behoorlijk uit balans brengen, wat er helaas toe leidde dat men terug moest naar het klassieke wiel met spaken.

Wie achter een motor rijdt, ademt natuurlijk de kwalijke uitlaatgassen in, en dat vormde een onderdeel van de 'charme': de gangmaker kon met zijn verstelbare ontsteking en open uitlaten de concurrent 'in de vuile wind zetten'. In een grijs verleden, ver vóór 1900, werd er gegangmaakt door meermansfietsen (tandems, triplettes, quadruplettes, quints) en elektrische tandems. Tegenwoordig zijn er ook elektrische gangmaakmotoren.

COLNAGO
Carbitubo Pista
BEGIN VAN HET CARBONTIJDPERK

SOORT
RACEFIETS, SINGLE-SPEED

LAND
ITALIË

JAAR
ca. 1990

GEWICHT
8,2 KG

FRAME
BLANK GELAKT CARBON/
ALUMINIUM LUGS, 56,7 CM HOOG

VERSNELLING
VAST VERZET

BANDEN
26 INCH, TUBE (VOOR),
27 INCH, TUBE (ACHTER)

Toen carbon als framemateriaal in opkomst was, vond men het vooral duur en niet echt gemakkelijk te verwerken.

Het monocoque frame was in 1975 nog nauwelijks gemeengoed, toen in de Verenigde Staten en Frankrijk de eerste carbon frames (gemixt met aluminium) werden gebouwd. Colnago echter concentreerde zich op het nieuwe materiaal. Het Colnago Carbitubo Pista model werd in 1988 gepresenteerd op de IFMA (Internationale Fahrrad- und Motorrad-Austellung). De carbon buizen werden door Ferrari ontwikkeld (voor de 'wishbones' van de wielophanging van hun F1-wagens), een waardevolle partner bij het maken van fietsen waarbij het puur om snelheid gaat. De buizen waren verlijmd met aluminium lugs, en het risico bestond, zoals je kunt verwachten, dat de verbindingen onder druk loslieten. Uit esthetisch oogpunt zijn de twee ranke buizen heel fraai, maar de UCI staat ze niet langer toe. Er werden in totaal nog geen twintig Carbitubo's gemaakt.

De aluminium lugs van de Carbitubo Pista waren in principe hetzelfde als die van de bekende fabrikant Alan, die ook carbon frames met aluminium lugs maakte.

Colnago is tot op de dag van vandaag waarschijnlijk het beroemdste fietsmerk, en als je een boek zou willen samenstellen met alle overwinningen van hun fietsen in diverse races, zou het bestaan uit meerdere delen.

COLNAGO

SABLIÈRE
DE FRAAIE VORMEN VAN EEN FRAME

SOORT
RACEFIETS (TIJDRIT)

LAND
FRANKRIJK

JAAR
ca. 1978

GEWICHT
8,5 KG

FRAME
GEPOLIJST ALUMINIUM, 59 CM HOOG

VERSNELLINGEN
2 x 7, DERAILLEUR MAVIC 862 (VOOR), DERAILLEUR MAVIC 851 (ACHTER)

REMMEN
VELGREMMEN CENTRE PULL CAMPOGNOLO C RECORD DELTA

BANDEN
27 INCH, TUBES

Het ongelakte aluminium frame van de Sablière is met zijn volmaakt afgewerkte en gepolijste laswerk een streling voor het oog. Het licht gebogen stuur maakt het geheel af, en doet denken aan geavanceerde vliegtuigontwerpen.

Met tijdritfietsen zoals deze race je niet tegen een tegenstander, maar tegen de klok. Het enige waardoor deze fiets uit het spoor kan raken, is zijwind tegen het achterwiel. Om dit tegen te gaan zaten er in de dichte wielen centrifugale gewichten die voor meer stabiliteit en vliegwielwerking bij hoge snelheid zorgden. Dit is nooit bij enig dicht wiel in een wedstrijdsituatie aangetoond, maar voor alle zekerheid wél door de UCI verboden.

Sinds de jaren 1930 maakten Nicola Barra en Pierre Colin in Frankrijk al aluminium frames, maar pas de laatste jaren is de lasbaarheid van de legeringen zodanig geperfectioneerd dat aluminium frames op grote schaal toegepast worden.

MECACYCLE
Turbo Bonanza
MEER DAN GESPLETEN ZITBUIZEN

SOORT
RACEFIETS, BIJZONDERE MODELLEN

LAND
FRANKRIJK

JAAR
ca. 1985

GEWICHT
11 KG

FRAME
GELAKT STAAL, 58 CM HOOG

VERSNELLINGEN
2 x 7, DERAILLEUR HURET

REMMEN
VELGREMMEN CENTRE PULL WEINMANN DELTA

BANDEN
26 INCH, TUBE (VOOR),
27 INCH, TUBE (ACHTER)

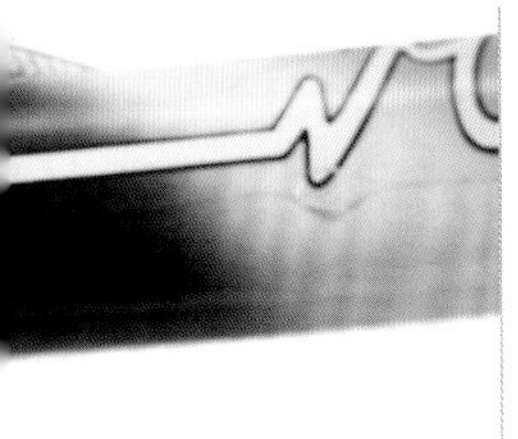

Al voor hij Mecacycle oprichtte was Raymond Creuset befaamd om zijn creativiteit. Hij werkte ooit als technicus voor Mercier, daarna voor een denktank die zich specialiseerde in het oplossen van complexe technische problemen, en kwam begin jaren 1980 terug naar de wielerindustrie. Hij kocht Mecacycle, een weinig succesvolle fietsenfabriek in St. Étienne, de fietshoofdstad van Frankrijk, en het bedrijf kwam al snel met een sensationeel nieuw ontwerp. Het 'turbo' frame met de gespleten zitbuis (zie ook de Rigi Bici Corta op pag. 174) werd hét hoogstandje van de IFMA in Keulen (1982).

De Bonanza was zo'n 'turbo' van Mecacycle. De naam kwam van een Zwitserse fietsendealer die frames van Mecacycle verkocht en een aantal profs van materiaal voorzag.

De rijeigenschappen en de balans waren perfect, ondanks het feit dat de wielbasis kort was in verband met die gespleten zitbuis en het 26-inch voorwiel.

DIAMANT
Ironman SLX
WIND MEE

SOORT
RACEFIETS, BIJZONDERE MODELLEN

LAND
BELGIË

JAAR
1992

GEWICHT
10,2 KG

FRAME
GELAKT STAAL, 56,2 CM HOOG

VERSNELLINGEN
2 x 8, DERAILLEUR SHIMANO DURA-ACE

REMMEN
VELGREMMEN SIDE PULL SHIMANO DURA-ACE

BANDEN
28 INCH, DRAADBANDEN

'Diamant' is een naam met charisma, dus hebben verschillende fabrikanten modellen met die naam op de markt gebracht. De maker van de Diamant Ironman SLX zit in België, een land waar ze beslist oog hebben voor een fraaie fiets.

Dit zo typerend naar voren hellende model werd in de vroege jaren 1990 ontworpen voor triatleten en ziet eruit of het altijd de wind in de rug heeft.

De speciale geometrie van de Diamant Ironman SLX stelt de berijder in staat om gedurende zijn tijdrit van 180 km een gestroomlijnde houding aan te nemen zonder extreme hoek tussen rug en benen. Deze geometrie en frame lay-out valt evenwel buiten de reglementaire maten die de UCI voor het wielrennen toestaat. Het is dus een specifieke triathlonfiets.

In de jaren 1940 circuleerde er tijdens de Tour de France een cartoon van een dergelijke fiets, en we kunnen niet uitsluiten dat de ontwerpen daardoor geïnspireerd zijn. De tekening is natuurlijk fors overdreven, maar lijkt toch wel erg op deze raceduivel.

BOB JACKSON
Super Legend
HETCHINS' ERFGOED

SOORT
RACEFIETS

LAND
VERENIGD KONINKRIJK

JAAR
2002

GEWICHT
11 KG

FRAME
GELAKT STAAL EN VERCHROOMD, 59,8 CM HOOG

VERSNELLINGEN
3 x 9, DERAILLEUR SHIMANO ULTEGRA

REMMEN
VELGREMMEN SIDE PULL SHIMANO ULTRA

BANDEN
28 INCH, DRAADBANDEN

Het bedrijf van Bob Jackson is ouder dan de naam: in 1935 werden er fietsen geproduceerd onder de naam J.R.J. Cycles, en later onder de naam Merlin. Pas in 1961 werd de fabriek onder zijn huidige naam beroemd. De topmodellen kregen de naam Bob Jackson, naar de nieuwe eigenaar, en dat is nog steeds zo. In 1969 begon het bedrijf ook in de Verenigde Staten fietsen te verkopen.

Aan het eind van de jaren 1970 kreeg Jackson opdracht om het beroemde Hetchins' frame met de curly stays (de befaamde golvende achtervorkbuizen) en de barokke lugs te maken. In 1986 fuseerden beide bedrijven.

De Bob Jackson Super Legend is uitgevoerd met de lugs van Hetchins' topmodel, de Magnum Opus (sinds 1950 de maat der dingen op fietsgebied). De Super Legend was het absolute topmodel, waar verzamelaars alles voor over hadden. De fraai bewerkte lugs waarvan het krullerige patroon terugkomt in de vorkpoten, en de zitbuis die werd verchroomd voor hij werd vastgesoldeerd. Het hier afgebeelde exemplaar is een van de slechts 120 Super Legends die gemaakt werden.

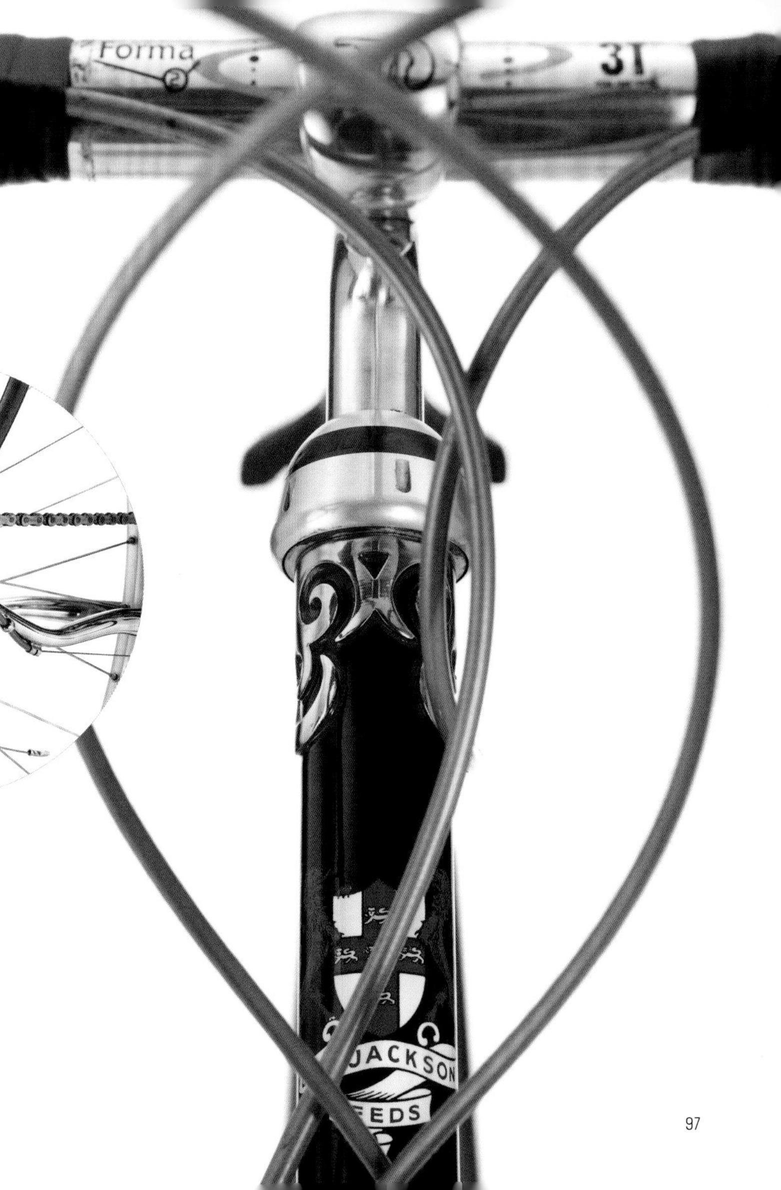

BOB JACKSON
Tricycle
DRIEWIELERS VOOR VOLWASSENEN

SOORT
RACEFIETS, BIJZONDERE MODELLEN

LAND
VERENIGD KONINKRIJK

JAAR
1995

GEWICHT
13,3 KG

FRAME
GELAKT STAAL, 55 CM HOOG

VERSNELLINGEN
2 x 7, DERAILLEUR SHIMANO DURA-ACE

REMMEN
VELGREM CENTRE PULL WEINMANN (VOOR I),
VELGREM CANTILEVER SHIMANO (VOOR II)

BANDEN
27 INCH, TUBES

Wie de schitterende lugs van Hetchins' supermodel, de Magnum Opus, niet opvallend genoeg vond, kon opteren voor een derde wiel, en dus een driewieler die onder alle omstandigheden, en dus ook in races, gebruikt kon worden.

Driewielers zijn niet zo stabiel als je zou denken: ze kunnen ineens van de weg af schieten (of kantelen) als je er geen ervaring mee hebt. Toch zijn ze nog steeds gewild en te koop, en net zo fantastisch afgewerkt als Jacksons andere modellen. Ze zijn grotendeels gebaseerd op Hetchins' traditionele ontwerpen, het merk dat in 1986 fuseerde met Bob Jackson. Ook hier zie je de bewerkte lugs en zijn sommige delen met de hand vervaardigd op aanwijzing van de klant. Van dit specifieke model is er maar één gebouwd. (Zie ook de Bob Jackson Super Legend op pag. 96)

ONE OFF
Moulton Special
EEN UNIEK EXEMPLAAR VAN TITANIUM

SOORT
RACEFIETS, BIJZONDERE MODELLEN

LAND
VERENIGDE STATEN / VERENIGD KONINKRIJK

JAAR
1991

GEWICHT
9,6 KG

FRAME
TITANIUM, 56,8 CM HOOG

VERSNELLINGEN
2 x 7, DERAILLEUR MAVIC 862

REMMEN
VELGREMMEN SIDE PULL SCOTT SUPER BRAKE

BANDEN
17 INCH, DRAADBANDEN

Het bedrijf van Mike Augspurger, One Off in Florence, Massachusetts, is gespecialiseerd in het bouwen van unieke producten op maat, en dan gaat het niet alleen om fietsen, maar bijvoorbeeld ook rolstoelen. Wat deze producten gemeen hebben is het materiaal; One Off werkt met titanium, op zich een bewijs van vakmanschap.

In 1991 maakte Mike Augspurger kennis met ontwerper Alex Moulton en hun vriendschap werd hechter tijdens lange ritten; zo ontstond het idee voor het volgende One Off model. Augspurger wilde een Moulton AM bouwen van titanium met een ondeelbaar frame; zijn vriend ging mee in het plan en verschafte de speciale onderdelen van Moulton.

Slechts een paar maanden later zetten ze het frame op de weegschaal en stelden vast dat het 500 gram lichter was dan een Moulton AM Speed frame van roestvrij staal, waarvan het frame evenmin deelbaar was.

Het Zipperwindscherm zorgt voor een betere aerodynamica en het frame heeft net zoveel torsiestijfheid als roestvrijstalen exemplaren. Hier afgebeeld is de enige die werd gemaakt.

Alex Moulton was nogal terughoudend om anderen toestemming te geven frames te bouwen met zijn ontwerp, en besloot uiteindelijk dat er niet meer mee geëxperimenteerd zou worden.

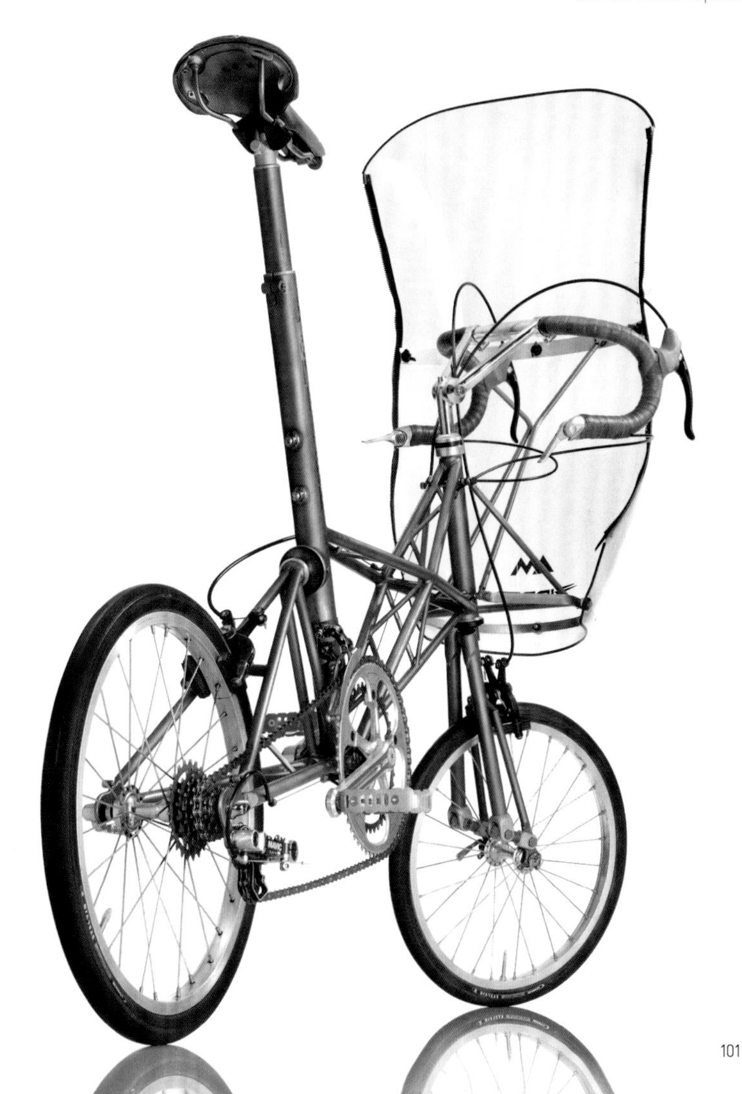

ALEX MOULTON
Speedsix
EEN 'MOULTON' VOOR DE KLEINE MAN

SOORT
RACEFIETS, TOERFIETS

LAND
VERENIGD KONINKRIJK

JAAR
ca. 1965

GEWICHT
13,3 KG

FRAME
GELAKT STAAL, 50 CM HOOG

VERSNELLINGEN
6, DERAILLEUR CAMPAGNOLO GRAN SPORT (ACHTER)

REMMEN
VELGREMMEN SIDE PULL WEINMANN TYPE 730

BANDEN
17 INCH, DRAADBANDEN

In principe was de Moulton Speedsix nooit in wit verkrijgbaar, maar in praktijk had een fiets met die kleur een diepere betekenis. In september 1967 vestigde de Brit Vic Nicholson een nieuw wereldrecord op een rit van Cardiff naar Londen op een witte Moulton 'S' Speed. Engeland heeft een traditie van fietsrecords van plaats naar plaats; het beroemdste is de End-to-End: 887 mijl non-stop van Land's End in het zuidwesten van Engeland naar John o'Groats in Schotland.

Dergelijke recordpogingen spreken tot de verbeelding, en het is heel goed mogelijk dat de eigenaar van de Speedsix zijn fiets wit liet spuiten bij wijze van eerbetoon aan die 'S' Speed.

Het idee van Moulton was om een compacte fiets met kleine wielen te maken, met de prestaties en het rijcomfort van een grote fiets. Daartoe voorzag hij de fiets van *silent-bloc* rubber vering voor en achter. De Moultons voldeden aan die verwachtingen: o.a. blijkens de records waren het volwaardige fietsen. In de jaren 1980 werden kleine series van zeer hoge kwaliteit gemaakt, en werd de Moulton een cultfiets. De afgebeelde fiets komt uit een serie van ongeveer 600 exemplaren.

SØLLING Pedersen MEER DAN HONDERD JAAR TIJDLOOS

SOORT
STADSFIETS

LAND
DENEMARKEN

JAAR
1978

GEWICHT
11,9 KG

FRAME
GELAKT STAAL, VARIABELE HOOGTE

VERSNELLINGEN
TORPEDO DREIGANG 3-VERSNELLINGSNAAF

REMMEN
VELGREMMEN SIDE PULL ALTENBURGER SYNCHRON (VOOR), TERUGTRAPREM (ACHTER)

BANDEN
28 INCH, DRAADBANDEN

De Deense Mikael Pedersen (1855-1929) was smid en musicus en was een technisch vindingrijk mens. Hij vond een aantal apparaten uit, zoals een dorsmachine om kaf en koren te scheiden en een remsysteem voor rijtuigen. Ook liet hij zijn gedachten gaan over een nieuw fietsframe dat geschikt was voor berijders van verschillende lengte. Zijn ontwerp concentreerde zich vooral op een flexibel zadel, dat als een soort hangmat aan een stalen kabel met plastic omhulsel werd opgehangen. Als de fietser op het zadel ging zitten, werd stabiliteit gecreëerd door druk op de ranke buizen door het rekken van de kabel.

Pedersens ontwerp dateert uit de jaren 1890, en werd (voor de Eerste Wereldoorlog) in Dursley in het Verenigd Koninkrijk gebouwd.

Een tweede leven begon in Denemarken rond 1978 met prototypes zoals de Sølling Pedersen die tot op de dag van vandaag wordt gemaakt.

WILHELMINA PLAST Itera KUNST EN PLASTIC

SOORT
RACEFIETS, BIJZONDERE MODELLEN

LAND
ZWEDEN

JAAR
1984

GEWICHT
18,3 KG

FRAME
PLASTIC (THERMOPLAST POLYETHYLEEN), 56,6 CM HOOG

VERSNELLINGEN
2 x 5, DERAILLEUR CAMPAGNOLO 9800

REMMEN
VELGREMMEN SIDE PULL CLB

BANDEN
27 INCH, DRAADBANDEN

Als er een prijs bestond voor de meest bizarre fiets ooit, dan werd hij zeker toegekend aan de Wilhelmina Plast Itera.

Hij werd gebouwd in Zweden en bestond vrijwel geheel uit plastic; het frame trok krom als het warm was en dat gaf een probleem met remmen. Het gewicht was ook al geen factor van betekenis, en de wielen waren één millimeter groter dan de standaardmaat.

Het geld om dit ontwerp te ontwikkelen kwam oorspronkelijk van de Zweedse Nationale Bank, en in 1980 kwam het eerste model op de markt. De klant ontving zijn aankoop in een doos, en moest de delen zelf in elkaar zetten (met bijgevoegd gereedschap). Nog vóór de fiets de weg op ging, kreeg de fabrikant al veel klachten over ontbrekende onderdelen.

Racefietsen van de Wilhelmina Plast Itera waren zeldzaam, maar de oudroze tint paste perfect bij een fiets die nauwelijks bedoeld leek om op te rijden.

CAPO Elite 'Eis'
EEN VREEMDE HYBRIDE FIETS

SOORT
SINGLE-SPEED, BIJZONDERE MODELLEN

LAND
OOSTENRIJK

JAAR
ca. 1966

GEWICHT
11 KG

FRAME
GELAKT STAAL, 56,5 CM HOOG

VERSNELLING
VAST VERZET

BANDEN
26 INCH, DRAADBANDEN

De Capo Elite, een succesvolle kruising tussen een fiets en een schaats, was een opmerkelijke creatie. De achterband was voorzien van metalen spikes om vooruit te komen, en een ski aan de voorzijde om te kunnen sturen. Het geheel werd zo ontworpen dat je volkomen greep had op de richting en dat de kans op slippen beperkt bleef. Het gevaarlijks waren in feite de spikes: bij een val moest je maar hopen dat je er niet in viel.

Zelfs in Oostenrijk, waar de 'Eis' werd gebouwd, was het succes matig. De hier afgebeelde fiets is in feite uniek, want de vorige eigenaar heeft hem naar eigen wensen aangepast. De fabrikant, Capo, was bekend van een ander ontwerp, de 'Computer Bike', waarbij een computer individueel de ideale geometrie berekende. Capo werd in 1930 opgericht door twee profwielrenners, Otto en Walter Cap, van wie die laatste in de jaren 1920 nationaal Oostenrijks kampioen geweest was.

RABENEICK
ARTISTIEK FIETSEN

SOORT
SINGLE-SPEED, BIJZONDERE MODELLEN

LAND
OOSTENRIJK

JAAR
ca. 1955

GEWICHT
12,3 KG

FRAME
GELAKT STAAL, 53 CM HOOG

VERSNELLING
VAST VERZET 1 : 1 (GEEN FREEWHEEL)

BANDEN
26 INCH, TUBES

Bij het 25-jarig bestaan van Rabeneick in 1955 waren er niet minder dan 41 Duitse nationale kampioenschappen gewonnen op fietsen van dat merk, wat niet zo verwonderlijk was: Rabeneick had ook een professioneel raceteam, en daarnaast hielden ze zich, min of meer als esthetisch project, bezig met indoor fietsdisciplines, wat ze in Duitsland 'zaalsport' noemen. Bij indoorfietsen is manoeuvreren essentieel. Dankzij de een-op-een overbrenging zonder freewheel kon je razendsnel accelereren, maar ook achteruitfietsen en 'wheelies' doen. Deze zaalsportfietsen hebben stepjes op de wielassen, maar verder zo min mogelijk uitstekende delen. Het boutje waarmee het stuur vastzit, zit niet bovenop, maar van onderen in de vorkbuis. Volrubberen pedalen moeten krassen op de vloer van de sportzaal voorkomen.

Rabeneick werd in 1930 opgericht door August Rabeneick in Brackwede in Duitsland. Uit deze fabriek kwamen de meest gewilde indoorfietsen, zeker in de periode na de Tweede Wereldoorlog.

De zaalsport raakte aan het eind van de negentiende eeuw in de mode, toen fietsverenigingen nog extreem elitaire aangelegenheden waren. De sport draaide niet zozeer om prestaties als wel om het genoeglijke gezelschap van geestverwanten. Toen fietsen aan het begin van de twintigste eeuw goedkoper werden, konden ook 'gewone' mensen zich er een veroorloven, en werd de sport populair bij de massa.

Competities werden, doorgaans in de winter, gehouden in grote hallen van hotels en dergelijke. Het ging dan bijvoorbeeld om fietsen op een rollerbank, circuskunsten, en het maken van creatieve of dansfiguren. Ook staan op de fiets en het maken van sprongen waren mogelijkheden. Dit speelse gebruik zie je terug in het ontwerp: de banden zijn lichtbruin, zodat ze geen lelijke vegen op de vloer achterlaten.

WORLDSCAPE CO. LTD Aitelen Chainless
DRIEMAAL IS SCHEEPSRECHT

SOORT
STADSFIETS, BIJZONDERE MODELLEN

LAND
TAIWAN

JAAR
ca. 1992

GEWICHT
15,8 KG

FRAME
GELAKT STAAL, 50,6 CM HOOG

VERSNELLINGEN
SACHS PENTASPORT 5-VERSNELLINGSNAAF

REMMEN
V-BRAKE SHIMANO DEORE LX

BANDEN
28 INCH, DRAADBANDEN

Meer dan honderd jaar geleden won de Fransman Gaston Rivierre de race Bordeaux-Parijs driemaal achtereen (1896, 1897, 1898) op een kettingloze fiets met cardanas. Kort na 1900 werden in Frankrijk de eerste fietsen van dit type met conische tandwielen ontwikkeld, terwijl in diezelfde periode in de Verenigde Staten dat soort fietsen met twee of drie naafversnellingen werd geïntroduceerd. Behalve de voordelen (geen ketting, schoon) heeft de cardanaandrijving twee specifieke nadelen: het transmissieverlies is groter dan bij een ketting, en de fiets accelereert minder goed: je kunt er geen sprint mee winnen.

Daarna werd het concept tientallen jaren vergeten, tot de creatie van de Aitelen Chainless fiets, met technische verfijningen als de helicoïdale en later conische tandwielen.

De traditionele fiets met kettingaandrijving had van deze ontwikkeling niets te vrezen, omdat efficientie nog altijd een eerste vereiste is. De cardanas van deze Aitelen Chainless is een schitterend stukje techniek, dat met ultieme precisie werd gemaakt en een plezier is om mee te rijden, zeker met de Sachs Pentasport 5-versnellingsnaaf.

Jammer genoeg is het frame van mindere kwaliteit: het is zonder lugs op een middelmatige wijze gelast.

ALENAX TRB 250
DE VIERKANTE CIRKEL

SOORT
STADSFIETS, BIJZONDERE MODELLEN

LAND
TAIWAN

JAAR
ca. 1988

GEWICHT
18 KG

FRAME
GELAKT STAAL, 49 CM HOOG

VERSNELLINGEN
VERSTELBAAR

REMMEN
VELGREMMEN SIDE PULL DIA COMPE

BANDEN
27 INCH, DRAADBANDEN

De geschiedenis van de fiets kent vele probeersels om de normale, ronddraaiende beweging van de pedalen op een of andere manier te veranderen. Al in 1881 werd in de Verenigde Staten de Star hoge 'bi' ontwikkeld die met hefbomen werd aangedreven. In 1893 kwam de Zweedse firma Svea met een soortgelijk concept, net als Terrot in Frankrijk. Ook de ligfiets van Jaray uit de jaren 1920 werd aangedreven door twee hefbomen, zodat er geen pedalen aan te pas kwamen.

De Alenax TRB 250 zet deze traditie van de alternatieve pedaalbeweging voort: de pedalen worden niet rond getrapt, maar pompend op en neer bewogen, min of meer alsof je loopt. Aan beide zijden van de achternaaf zit een kettingwiel (met een stukje kabel ertussen) om een draaipunt onder het bracket naar de andere kant. Echt gemakkelijk rijdt het niet: er is zowel 'boven' als 'onder' een duidelijk dood punt merkbaar. Met geen enkele alternatieve trapbeweging is tot dusverre een beter rendement bereikt dan met de gewone, eenparige rondgaande trapbeweging. Ook PMP-cranks maakten het er nauwelijks beter op (zie de C.B.T. Italia Champions op pag. 184) en de Colrout (zie Gazelle Champion Mondial op pag. 180).

GEBRÜDER HEIDEMANN
High Touring Super 30 Inch
GROTE SCHOONHEID

SOORT
TOERFIETS, BIJZONDERE MODELLEN

LAND
WEST-DUITSLAND

JAAR
ca. 1983

GEWICHT
18,1 KG

FRAME
GELAKT STAAL, 63,5 CM HOOG

VERSNELLINGEN
SACHS PENTASPORT 5-VERSNELLINGSNAAF

REMMEN
TROMMELREM (VOOR),
TERUGTRAPREM (ACHTER)

BANDEN
30 INCH, DRAADBANDEN

Op het eerste gezicht lijkt de Heidemann High Toerfiets Super 30 op een robuuste toerfiets, en bij nadere beschouwing is de grootte imposant.

Het frame van de Super 30 is 63,5 cm en is verstevigd met een tweede bovenbuis, waarmee hij uitstekend geschikt was voor lange mensen.

Het bijzondere van deze fiets, waaraan hij ook zijn naam dankt, zijn de 30-inch wielen, waardoor niet alleen het geheel mooi in proportie is maar bovendien de berijder overtuigden van de voordelen van dit model. Met dergelijke grote wielen had je minder last van kuilen in het wegdek, terwijl de lange wielbasis zorgt voor een rustig rijgedrag. Natuurlijk zijn er ook nadelen: grote wielen zijn zwaarder, en wegrijden is een krachttoer op zich! En als na verloop van tijd de banden versleten zijn en vervangen moeten worden, waren nieuwe (die speciaal voor deze fiets werden gemaakt) nauwelijks te krijgen.

RALEIGH
Tourist
MET DE FAMILIE OP PAD

RALEIGH TOURIST (HEREN)

SOORT
STADSFIETS

LAND
VERENIGD KONINKRIJK

JAAR
ca. 1970

GEWICHT
20,9 KG

FRAME
VERCHROOMD STAAL, 57,3 CM HOOG

VERSNELLINGEN
TORPEDO 3-VERSNELLINGSNAAF

REMMEN
VELGREM MET TREKSTANG

BANDEN
28 INCH, DRAADBANDEN

RALEIGH TOURIST (DAMES)

SOORT
STADSFIETS

LAND
VERENIGD KONINKRIJK

JAAR
ca. 1970

GEWICHT
19,8 KG

FRAME
VERCHROOMD STAAL, 56,2 CM HOOG

VERSNELLINGEN
VERSNELLINGSNAAF STURMEY ARCHER (ACHTER)

REMMEN
VELGREM MET TREKSTANG

BANDEN
28 INCH, DRAADBANDEN

Het uiterlijk van de geheel verchroomde Raleigh Tourist suggereert lichtheid, maar schijn bedriegt. Niettemin is het een robuuste fiets, die prima geschikt is voor tochtjes met het gezin; het herenmodel heeft zelfs een geïntegreerd kinderzadel.

Voor de zitbuis zit een batterijhouder voor standlicht en achterlicht; eerdere versies hadden een naafdynamo. De volledig gesloten, plaatijzeren kettingkast van Raleigh was niet oliedicht (zoals het systeem van Sunbeam), maar zorgde wel voor een lange levensduur van de ketting.

Rond 1900 werd de velgrem met trekstang populair, en in India zijn de meeste fietsen er tot op de dag van vandaag mee uitgerust. Ook de klassieke modellen van Gazelle, Batavus en Umberto Dei zijn nog met trekstangen verkrijgbaar.

Ook opvallend aan de Raleigh Tourist is het volkomen ontbreken van aluminium. Op de kettingkast staat hun trotse slogan 'The All-Steel Bicycle'. Raleigh was de eerste die lugs van plaatstaal liet maken in plaats van van gietijzer: lichter, minder breuk, minder nabewerking.

3 2 1

TRUSSARDI
OORLOG EN VREDE

SOORT
STADSFIETS, VOUWFIETS

LAND
ITALIË

JAAR
1983

GEWICHT
19,1 KG

FRAME
GELAKT STAAL, 54 CM HOOG

VERSNELLINGEN
TORPEDO 3-VERSNELLINGSNAAF

REMMEN
VELGREMMEN SIDE PULL UNIVERSAL

BANDEN
28 INCH, DRAADBANDEN

Dit is een van de weinige vouwfietsen met grote wielen, wat hem beduidend geschikter maakte voor lange afstanden en slechte wegen. Het ontwerp had veel weg van de BSA Paratrooper, een fiets die in de Tweede Wereldoorlog speciaal voor parachutisten werd gebouwd (zie pag. 218).

Ook in vredestijd bewees de fiets goede diensten: het bedrijf van de Italiaanse modeontwerper Trussardi bracht hem op de markt in burgeruitvoering met fraaie leren details en modieuze fietstassen die ook als schoudertas te gebruiken waren. Trussardi heeft slechts 3000 van deze flitsende modellen geproduceerd.

In diezelfde periode begon Trussardi zich ook toe te leggen op andere zaken, zoals het verfraaien van interieurs van auto's en vliegtuigen, wat hun imago als chic merk zeker bevorderde.

TRUSSARDI

UMBERTO DEI
Giubileo
HET JUBILEUMMODEL

SOORT
STADSFIETS

LAND
ITALIË

JAAR
1996

GEWICHT
18,2 KG

FRAME
GELAKT STAAL, 57 CM HOOG

VERSNELLINGEN
TORPEDO 3-VERSNELLINGSNAAF

REMMEN
VELGREMMEN SIDE PULL URSUSS SUPER LUXE

BANDEN
28 INCH, DRAADBANDEN

De geschiedenis van Umberto Dei gaat terug tot 1896. Het honderdjarig bestaan werd gevierd met een prachtige stadsfiets, de Giubileo. Hij werd met de hand gemaakt, had exquise, leren handgrepen, een geveerd leren zadel, leren jasbeschermers en zelfs kleine, leren zadeltasjes. de damesfiets had ook een grote boodschappenmand voorop.

Het merk startte ooit met racefietsen, en ondanks de beperkte financiële middelen van de oprichter vestigde Dei vroeg in de twintigste eeuw al snel een reputatie als

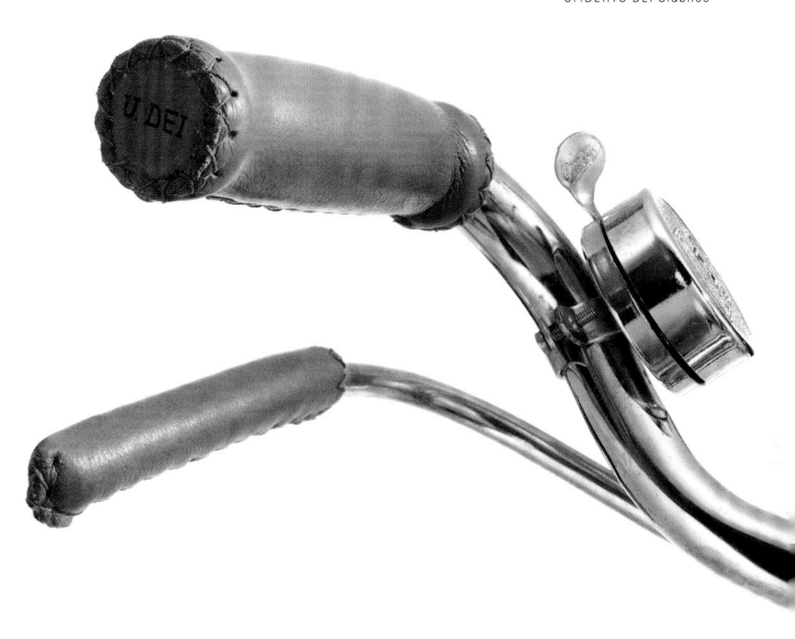

innovatieve, moderne bouwer van lichte racefietsen. Dei richtte zich op kwalitatief goede, maar lichtere onderdelen, omdat hij inzag dat lichtere wielen gemakkelijker rijden en de totale massa minder zwaar maken. Umberto Dei's wielen maten slechts 68 cm in diameter (inclusief band) en waren dunner, waarmee ze de voorlopers zijn van de huidige tubes.

HERSKIND + HERSKIND
Copenhagen
ODE AAN STAAL, LEER EN HOUT

SOORT
STADSFIETS

LAND
DENEMARKEN

JAAR
ca. 1995

GEWICHT
12 KG

FRAME
GELAKT STAAL, 54,5 CM HOOG

VERSNELLINGEN
TORPEDO 3-VERSNELLINGSNAAF

REMMEN
TERUGTRAPREM

BANDEN
28 INCH, DRAADBANDEN

De Copenhagen komt oorspronkelijk uit Denemarken, een land dat niet onmiddellijk met wielrennen wordt geassocieerd. Misschien verscheen dit model daarom pas toen een van de oprichters, Jan Herskind, verhuisde naar Duitsland.

Herskind werd in 1955 geboren in Denemarken en ging naar de toneelschool voor hij zich halverwege de jaren 1970 toe begon te leggen op ontwerpen. Zo ontwierp hij de 'world clock', die een tijd lang te zien was in de lobby van het Museum of Modern Art in New York. Daarnaast ontwierp hij samen met zijn broer Jacob kleding en de Copenhagen fiets. Ze maakten verschillende modellen, waaronder een damesfiets en een bakfiets, en het waren allemaal limited editions, die met de hand gemaakt werden zonder lopendebandwerk. De afgebeelde fiets is een limited designer edition waarvan er slechts 500 werden gebouwd.

De Copenhagen is, met zijn donkere frame en de lichte natuurlijke materialen als leer (voor zadel en handvatten) en hout (voor de spatborden, pedalen en zelfs de smalle kettingkast), een ode aan de fiets.

TUR MECCANICA
Bi Bici
SAMEN OP EEN KLEIN FIETSJE

SOORT
TANDEM, BIJZONDERE MODELLEN

LAND
ITALIË

JAAR
ca. 1980

GEWICHT
22,5 KG

FRAME
GELAKT STAAL, 43,2 CM HOOG

VERSNELLINGEN
4, DERAILLEUR HURET

REMMEN
VELGREMMEN SIDE PULL UNIVERSAL PLUS EEN EXTRA TROMMELREM OP HET VOORWIEL

BANDEN
26 INCH, DRAADBANDEN

Het grote bezwaar van de meeste tandems is dat je er zo slecht mee kunt manoeuvreren; de wielbasis is prima voor lange afstanden en rechte wegen, maar bochtige straatjes en paden zijn ondoenlijk.

Wie in 1980 een minder traditionele tandem zocht, hoefde niet verder te zoeken dan de Tur Meccanica's Bi Bici, een fiets die nauwelijks langer was dan een normale, zodat je noch je route, noch je manier van rijden hoefde aan te passen – afgezien van de basisregel van de tandem: de stoker (achterste rijder) stapt als laatste op, om te voorkomen dat de hele constructie achteroverklapt als het gewicht van de captain hem niet tegenhoudt.

Het risico op een plotselinge, ongewenste 'wheelie' deed zich alleen voor als de stoker veel zwaarder was dan de captain, reden waarom dit model beter geschikt was voor twee kinderen, of twee slanke, ongeveer even zware volwassenen.

Ook als onderwerp voor technische bestudering was het een bijzondere creatie: de achterste trapas loopt door de naaf maar drijft die niet aan. De kracht wordt aan de linkerkant overgebracht naar de trapas van de captain, en van daar weer terug via de normale ketting rechts. De derailleur heeft vier versnellingen.

Dergelijke korte tandems werden al rond 1880 gemaakt en kenden een vergelijkbare framegeometrie en een wielbasis die hetzelfde was als die van een traditionele fiets.

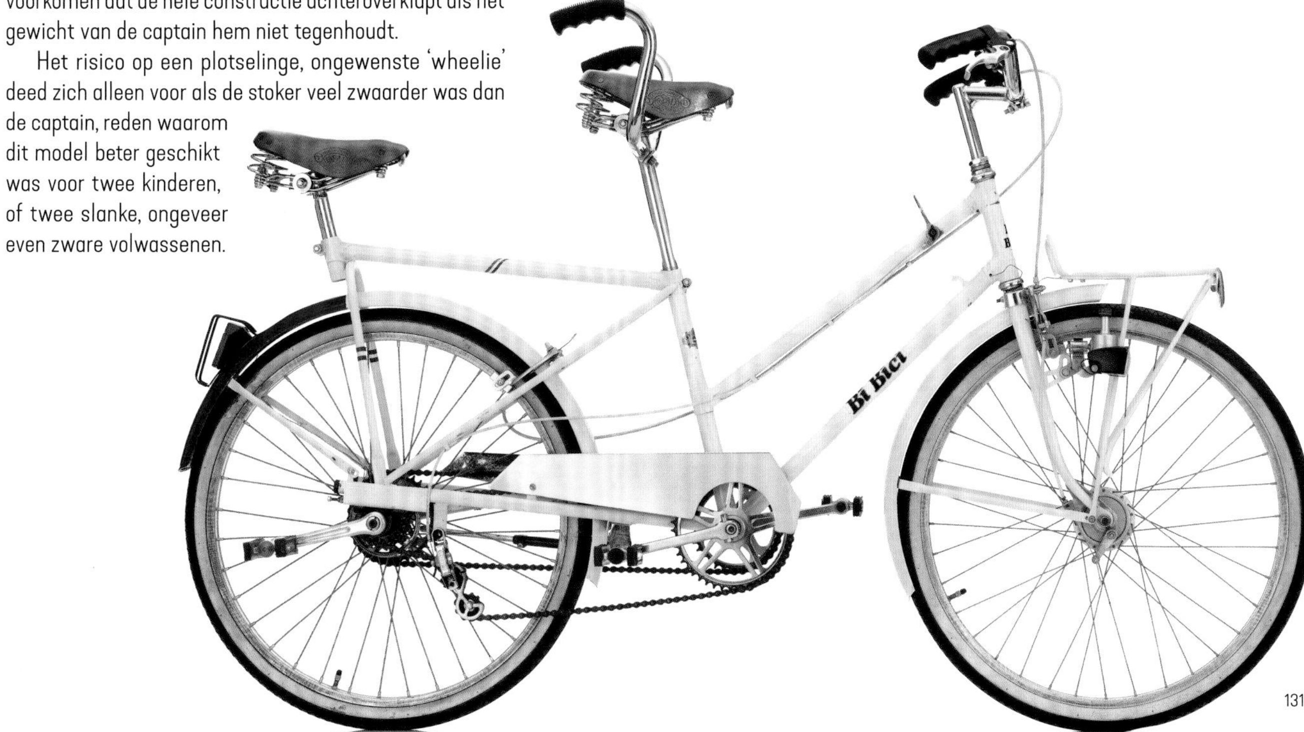

BUDDY BIKE
Buddy Bike
NAAST ELKAAR FIETSEN

SOORT
TANDEM, BIJZONDERE MODELLEN

LAND
TAIWAN

JAAR
ca. 1988

GEWICHT
27,5 KG

FRAME
GELAKT STAAL, 46 CM HOOG

VERSNELLINGEN
DERAILLEUR SHIMANO ALTUS (ACHTER)

REMMEN
VELGREMMEN SIDE PULL ODYSSEY (VOOR),
MIDDENOPTREKREM ODYSSEY PITBULL (ACHTER)

BANDEN
26 INCH, DRAADBANDEN

HASE SPEZIALRÄDER Pino Tour
ONTSPANNEN KEUVELEN

SOORT
TANDEM, TOERFIETS

LAND
DUITSLAND

JAAR
2010

GEWICHT
23,8 KG

FRAME
GELAKT ALUMINIUM, 47,5 CM HOOG

VERSNELLINGEN
3 x 9, DERAILLEUR SHIMANO DURA-ACE TRIPLE (VOOR),
DERAILLEUR SHIMANO DEORE XT (ACHTER)

REMMEN
SCHIJFREMMEN MAGURA LOUISE

BANDEN
20 INCH, DRAADBAND (VOOR),
26 INCH, DRAADBAND (ACHTER)

Voor de stoker is rijden op een tandem beduidend saaier dan voor de captain, die een vorstelijk uitzicht heeft over alles wat passeert. Verder heb je als achterste rijder niets te zeggen over remmen en sturen en is de kans groot dat je eventuele commentaar verloren gaat in de wind.

Op een traditionele tandem is het moeizaam communiceren, en dat aspect probeerde hase met de Pino Tour te verbeteren. De zadels staan veel dichter bij elkaar, waarbij de captain comfortabel achteroverleunt, zodat de stoker iets anders ziet dan zijn rug. Onderweg praten is geen probleem en de fiets kan precies worden aangepast aan de beenlengte van de voorste rijder.

De korte wielbasis zorgt voor een goede manoeuvreerbaarheid en de captain kan even pauzeren en zijn benen rust geven dankzij het freewheel op de tweede trapas.

Het aluminium frame kan uit elkaar genomen worden en meet dan 110 x 30 x 80 cm. Hase heeft ongeveer 2300 stuks van dit model gebouwd.

Het bedrijf legt zich sinds 1994 toe op speciale fietsen; alle werknemers zijn fietsenthousiastelingen, de directeur, Marec Hase, incluis. Hij begon al op zijn dertiende met het ontwerpen van prototypen, en tegen de tijd dat hij de Duitse prijs voor jonge wetenschappers won (de 'Jugend Forscht') had hij al dertig fietsen op zijn naam staan. Toen hij 23 was, richtte hij zijn eigen bedrijf op.

short
bike
SCHWALBE
BIG APPLE

SMITH & CO.
Long John
EEN FANTASTISCHE 'WERKFIETS'

SOORT
VRACHTFIETS, BIJZONDERE MODELLEN

LAND
DENEMARKEN

JAAR
ca. 1983

GEWICHT
32 KG

FRAME
GELAKT STAAL, 50 CM HOOG

VERSNELLINGEN
TORPEDO 3 -VERSNELLINGSNAAF

REMMEN
TROMMELREM WEINMANN (VOOR),
TERUGTRAPREM TORPEDO (ACHTER)

BANDEN
20 INCH, DRAADBAND (VOOR),
23 INCH, DRAADBAND (ACHTER)

Vrachtfietsen blinken zelden uit door hun fraaie ontwerp: pakketten worden over het algemeen vervoerd in grote manden of rekken voor- of achterop, en als het zwaarder moet, is er de bakfiets (doorgaans met drie wielen).

De Long John van Smith & Co. was de enige bakfiets op twee wielen, en had een laadvermogen van 140 kg, inclusief de berijder. Zelfs als hij helemaal volgeladen was, bleef hij mooi in evenwicht. Vooral het opstappen en wegrijden was een spectaculair gezicht, en andere fietsen keken met ontzag toe wanneer hij op volle snelheid passeerde.

Wat vooral opvalt is het weldoordachte stuurmechanisme dat elegant onder de laadbak doorloopt zonder het voorwiel in de weg te zitten.

Het model is in de loop der tijd door verschillende fabrikanten in verschillende landen gemaakt. Dit Deense model is van Smith & Co.

SIRONVAL Sportplex EENPERSOONSLIGFIETS

SOORT
TOERFIETS, BIJZONDERE MODELLEN

LAND
FRANKRIJK

JAAR
1939

GEWICHT
20 KG

FRAME
GELAKT STAAL, IN HOOGTE VERSTELBAAR

VERSNELLINGEN
3, DERAILLEUR SIMPLEX TOURISTE (ACHTER)

REMMEN
VELGREMMEN SIDE PULL

BANDEN
22 INCH, DRAADBAND (VOOR),
24 INCH, DRAADBAND (ACHTER)

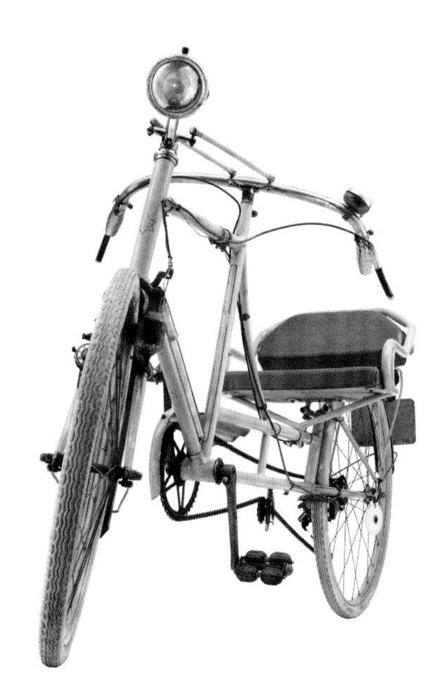

De Sironval Sportplex ziet er als je oppervlakkig kijkt uit als een tandem, maar bij nadere beschouwing blijkt het een eenpersoonsligfiets te zijn.

In de jaren 1930 waren ligfietsen in Frankrijk in de mode. De ontwerpers Charles en Georges Mochet die in 1933 het werelddduurrecord (van Oscar Egg) wilden breken, maakten naam. Ze hadden succes en hoewel de wielrenner, Francis Faure, een onbekende was, wist iedereen na zijn beroemde rit (45,056 km/u) precies wie hij was.

De UCI besloot in 1934 de ligfiets uit te sluiten van wedstrijden en records. De ontwerpen waren per slot van rekening beter dan de traditionele diamantframes, vanwege de betere aerodynamica als gevolg van de houding van de fietser. Toch bleef de ligfiets populair bij mensen die voor hun plezier op pad gingen, al werden er van deze Sironval Sportplex slechts ongeveer 200 verkocht.

Het bijzondere van de hier afgebeelde fiets is dat hij in perfecte staat verkeert en er nauwelijks een krasje te zien is. De nummerplaat die tijdens de duitse bezetting van Frankrijk verplicht was, doet vermoeden dat de fiets na de oorlog ergens veilig opgeborgen is geweest, ver van slecht weer en ander verkeer.

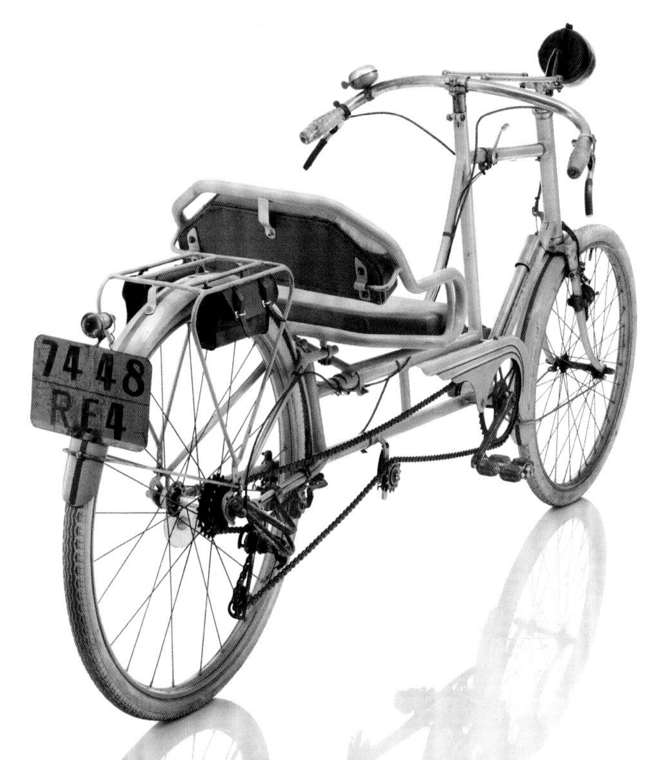

KÖTHKE
SPECIALISTEN ONDER ELKAAR

SOORT
RACEFIETS, SINGLE-SPEED, TANDEM

LAND
DUITSLAND

JAAR
ca. 1948

GEWICHT
19,5 KG

FRAME
GELAKT STAAL, 54,8 CM HOOG

VERSNELLING
VAST VERZET

BANDEN
27 INCH, TUBES

Wat framebouwer Faliero Masi in Italië tot stand bracht, werd jaren daarvoor al door Fritz Köthke nabij Keulen in Duitsland gerealiseerd. Köthkes frames werden door profs en amateurs van over de hele wereld besteld en in de kleuren van hun team gespoten. In 1928 werd Alfredo Binda wereldkampioen op de weg op een frame van Köthke, gelakt in de kleuren van zijn ploeg; Mifa (een Duitse fabrikant). Köthkes broer Heinrich, hield zich bezig met de verkoop en was vele jaren pachter van de nabijgelegen wielrenbaan, wat zorgde voor een continue stroom klanten; zo werd de winkel de ontmoetingsplaats voor wielrenners en andere geïnteresseerden.

De hier afgebeelde baantandem van Köthke heeft een trackframe en werd gebouwd voor Eduard Lachnit, zelf ook framebouwer in Wenen. Hij spoot het frame in de kleuren van zijn bedrijf, Elan, en liet racers meedoen aan de baanwedstrijden in het Vélodrome in Wenen. Resultaten zijn niet bekend.

LABOR
Spéciale Course
GEÏNSPIREERD OP EEN BRUG

SOORT
RACEFIETS

LAND
FRANKRIJK

JAAR
1922

GEWICHT
12,3 KG

FRAME
GELAKT STAAL, 57,5 CM HOOG

VERSNELLINGEN
1 + 1, VAST VERZET

REMMEN
VELGREM SIDE PULL (ACHTER)

BANDEN
27 INCH, TUBES

De geschiedenis van Labor is niet helemaal helder, maar we weten wel dat Louis darragon in 1906 en 1907 Frans en wereldkampioen stayeren werd op een Labor. In de jaren 1920 werd het bedrijf gekocht door Alcyon, een fabrikant van klassieke motoren die ook een invloedrijk fietsmerk op de markt bracht.

In die tijd stonden Labor-fietsen bekend om hun grote torsiestijfheid, en een reclameprent uit die tijd (waarop een klasje apen Labor-fietsen zit te tekenen) kreeg een zekere cultstatus.

Het frame is heel herkenbaar aan het ontwerp dat aan een vakwerkbrug doet denken, en inderdaad door bruggenbouw is geïnspireerd. Iver Johnson in de Verenigde Staten gebruikte het ook, en het was al bekend sinds 1902. Parijs-Roubaix kón dus alleen gewonnen worden door een renner met een Labor: Paul Deman won in 1922 en Albert Dejonghe in 1922. Andere triomfen op een Labor waren die van Paul Deman (Bordeaux-Parijs, 1922), Bou-Azza (winnaar van de eerste Tour van Marokko), en de befaamde François Faber, een van de meest succesvolle wielrenners van voor de eerste wereldoorlog.

FABRICATION FRANÇAISE

CAMINADE CAMINARGENT
Bordeaux-Paris
TE KWETSBAAR VOOR DEZE WERELD

SOORT
RACEFIETS

LAND
FRANKRIJK

JAAR
1937

GEWICHT
8,3 KG

FRAME
ALUMINIUM, 57,3 CM HOOG

VERSNELLING
1, FREEWHEEL

REMMEN
VELGREMMEN SIDE PULL SPORT BOWDEN TOURISTE

BANDEN
27 INCH, TUBES

In de negentiende eeuw is al geprobeerd fietsen lichter te maken door de toepassing van aluminium. Zowel in Frankrijk, Engeland en de Verenigde Staten werden frames van gegoten aluminium geprobeerd, maar de juiste legeringen bestonden nog niet.

De Caminargent uit de jaren 1930 deed het beter. De achthoekige aluminium buizen werden in fraaie lugs met barokke versieringen geschoven. Ondanks de extra schroeven en klembouten die het frame bij elkaar moesten houden, had de fiets toch de neiging tot wringen (en kreunen); het materiaal liep daardoor gemakkelijk haarscheurtjes op.

De weinige caminargents die er nog zijn, zouden alleen bij bijzondere gelegenheden bereden moeten worden.

W. & R. BAINES
V.S. 37
RIJDEN OP EEN TUINHEK

SOORT
RACEFIETS, BIJZONDERE MODELLEN

LAND
VERENIGD KONINKRIJK

JAAR
ca. 1947

GEWICHT
9,8 KG

FRAME
GELAKT STAAL,
56 CM HOOG

VERSNELLING
1 + 1, VAST VERZET

REMMEN
VELGREMMEN SIDE PULL GB HIDUMINIUM

BANDEN
27 INCH, TUBES

Deze Britse klassieker werd in de jaren 1930 door Reg Baines ontworpen, die al sinds 1919 samen met zijn broer een fabriek runde. De V.S. 37 werd vanaf 1934 in serie geproduceerd.

De aanduiding '37' had betrekking op de wielbasis in inches, en zei dus iets over de wendbaarheid van de fiets. De weinig tot de verbeelding sprekende naam V.S. 37 inspireerde tot de bijnaam 'Whirlwind' en later 'Flying Gate', de naam waaronder de fiets de geschiedenis inging.

Het grote aantal framebuizen leek misschien nogal willekeurig, maar zorgde voor uitstekende wendbaarheid en superieure stijfheid. Het was dus een fiets waarop je beter kon rijden dan ernaar te kijken, en T.J. Cycles produceert tot op de dag van vandaag replica's van dit model. De fiets heeft naar klassiek Engels patroon 32 spaken voor en 40 achter.

AUSTRO-DAIMLER Vent Noir & STEYR-DAIMLER-PUCH Vent Noir

EMANCIPATIE OP WIELEN

AUSTRO-DAIMLER VENT NOIR
(HEREN; BOVEN)

SOORT TOERFIETS

LAND OOSTENRIJK

JAAR 1978

GEWICHT 10,4 KG

FRAME GELAKT STAAL, 55,8 CM HOOG

VERSNELLINGEN 2 x 5, DERAILLEUR SHIMANO DURA-ACE

REMMEN VELGREMMEN SIDE PULL SHIMANO DURA-ACE

BANDEN 27 INCH, TUBES

STEYR-DAIMLER-PUCH VENT NOIR
(DAMES; PAG. 161)

SOORT TOERFIETS

LAND OOSTENRIJK

JAAR 1978

GEWICHT 10,4 KG

FRAME GELAKT STAAL, 57,5 CM HOOG

VERSNELLINGEN 2 x 5, DERAILLEUR SHIMANO CRANE

REMMEN VELGREMMEN SIDE PULL SHIMANO DURA-ACE

BANDEN 27 INCH, TUBES

In 1978 was er bij de belangrijke raceteams nauwelijks belangstelling voor de matzwarte Steyr-DaimLer- Puch Vent Noir-modellen. Het profteam van Puch werd pas in 1980 opgericht, en toen reden mensen als Joaquim Agostinho, Didi Thurau en Klaus-Peter Thaler op flitsende, groene Puch Mistral Ultima's.

Puch werd in 1889 opgericht, en was dus een van de oudste Oostenrijkse fabrikanten. Ongeveer een eeuw later legden zij zich toe op het verwerven van een reputatie als topbouwers, en dat begon met de Puch Mistral Ultima, waarvoor in 1976 een toegewijde ontwerpafdeling in het leven werd geroepen. De creatie van het prototype van een monocoque frame dat lijkt op de Lotus Sport 108 (zie pag. 72) en de Biomega MN01 (zie pag. 66), ontworpen door Ferdinand Alexander Porsche, was hun meesterstuk.

In Oostenrijk werd hij onder de naam Puch verkocht, maar voor de export werden ze verkocht onder de naam Steyr-Daimler of Austro-Daimler, wat tot op de dag van vandaag gerespecteerde namen zijn.

De Vent Noir voldeed, met de kleur van het frame in combinatie met de geanodiseerde gouden velgen, precies aan het moderne ideaal, zeker ook door het gebruik van de kostbare onderdelen (Dura-Ace) van Shimano. Het formule 1-team van Lotus John Player special reed ook met een combinatie van zwart en goud.

In 1980 werd het matzwarte frame van de Vent Noir vervangen door smoked chrome, dat later werd overgenomen voor de fietsen van C.B.T. Italia Champions (zie pag. 184).

DURA-ACE
SHIMANO
CRANE

STEYR-DAIMLER-PUCH

SELECT
Campionissimo
EEN ZELDZAAMHEID

SOORT
TOERFIETS

LAND
OOSTENRIJK

JAAR
ca. 1978

GEWICHT
8,2 KG

FRAME
GELAKT STAAL, 53,7 CM HOOG

VERSNELLINGEN
2 x 5, DERAILLEUR CAMPAGNOLO RALLY

REMMEN
VELGREMMEN SIDE PULL CLB

BANDEN
27 INCH, TUBES

De zo delicaat in het frame uitgefreesde letter 'S' kan gemakkelijk worden geïnterpreteerd als een aanduiding voor het merk Select, maar staat in feite voor de bouwer. In de jaren 1970 was Michael 'Mischa' Steinkeller werkzaam als taxichauffeur, maar heel soms bouwde hij, op speciaal verzoek van een klant, een schitterend frame met lichte, elegante lugs.

Zijn herenframes waren al een zeldzaamheid, en die voor dames zijn vrijwel uniek. Van deze fiets met Columbus SL-tubes (Super Leggera staat voor 'uitzonderlijk licht') en CLB-remmen, die destijds de best denkbare keuze waren, is er mogelijk maar één gemaakt. Andere fietsen uit de Select-serie waren veel algemener.

Het bedrijf, een van de oudste fietsfabrikanten, was gevestigd aan de Lerchenfelder Gürtel in Wenen, en de fietsen kregen bekendheid tussen de jaren 1930 en 1950. Op de doorgaans gele fietsen werden vele races gewonnen, en in de jaren 1960 werd het succes voortgezet, terwijl de fietsen alleen een andere kleur kregen. Na de jaren 1960 werden de frames steeds vaker in Italië gemaakt, en onder de naam 'Select'. Vanaf de jaren 1980 werd Select, zoals zovele andere bedrijven, een fietsendealer. In 2004 werd zowel de winkel als de fabriek gesloten.

ZEUS Zeus
EEN GRIEKSE GOD
UIT SPANJE

SOORT
RACEFIETS

LAND
SPANJE

JAAR 1979

GEWICHT
9,9 KG

FRAME
GELAKT STAAL, 55,7 CM HOOG

VERSNELLINGEN
2 x 6, DERAILLEUR ZEUS 2000

REMMEN
VELGREMMEN CENTRE PULL ZEUS 2000

BANDEN
27 INCH, TUBES

Men heeft altijd aangenomen dat de Spaanse firma Zeus zich heeft laten inspireren door zijn Italiaanse rivaal Campagnolo. Zeus werd in 1926 opgericht door Don Nicolás Arregui in Eibar in Baskenland, en maakte zowel onderdelen als frames. Uit de fabriek kwamen vaak complete fietsen waar nauwelijks meer aparte onderdelen voor gekocht hoefden te worden.

Buiten Spanje had het product geen al te beste naam, maar de ironie wil dat de lage productiekosten leidden tot goedkopere onderdelen en soms meer geavanceerde technologie. De aluminium kettingkransjes van Zeus waren ongelooflijk licht, al sleten ze wel erg snel, en de balhoofdstellen waren gewoon beter. De afgebeelde fiets is gemaakt van Reynolds 531 buizen, tientallen jaren een begrip in de fietswereld. Ook het ontwerp van de Zeus 2000-groep en de toepassing van titanium waren hun tijd ver vooruit.

De lage prijs was het enige nadeel, zodat het postorderbedrijf Brügelmann de kwaliteit van de Zeus in de late jaren 1970 echt moest benadrukken, toen een Zeus met veel titanium onderdelen ongeveer de helft kostte van een Gianna Motta met Campagnolo Super Record onderdelen.

zeus
zeus
zeus

MASI
Gran Criterium
ACHTER GESLOTEN LUIKEN

SOORT
RACEFIETS

LAND
ITALIË

JAAR
1978

GEWICHT
9,7 KG

FRAME
GELAKT STAAL, 59,3 CM HOOG

VERSNELLINGEN
2 x 6, DERAILLEUR CAMPAGNOLO SUPER RECORD

REMMEN
VELGREMMEN SIDE PULL CAMPAGNOLO SUPER RECORD

BANDEN
27 INCH, TUBES

Veel Masi-frames dragen verschillende namen, want ontwerper Valiero Masi (die in zijn jonge jaren wielrenner was) bouwde frames voor een aantal profs, en spoot die in de kleuren van het betreffende team. Deze vorm van 'wisselende loyaliteit' maakte zijn uitstekende, zeer lichte frames extra begerenswaardig.

Eddy Merckx bestelde weleens een baanframe bij Masi, en zijn teamgenoot Tom Simpson (bij Peugeot, 1965) koos voor hetzelfde. De Masi van Rik van Looy had de kleuren van een Superia, en ook Fausto Coppi, Jacques Anquetil en Vittorio Adorni lieten weleens een Masi bouwen.

Valiero Masi stond bekend als de 'kleermaker', en in 1984 kenschetste een Amerikaans wielertijdschrift hem als de 'Enzo Ferrari op het gebied van framebouw'.

Masi had een kleine werkplaats waar hij doorgaans de luiken sloot voor enige privacy. De enige die er altijd welkom was, was zijn zoon Alberto, het brein achter veel subtiele verbeteringen die ook nu nog essentieel zijn voor de kwaliteit van een Masi.

Alberto Masi zette het bedrijf voort; de Masi Gran Criterium is een van de meest gewilde collector's items van het moment. Het hier afgebeelde model uit 1978, is een van de allerlaatste die werd geproduceerd.

COLNAGO
Brügelmann
ZWART EN GOUD

SOORT
TOERFIETS

LAND
ITALIË

JAAR
ca. 1979

GEWICHT
9,4 KG)

FRAME
GELAKT STAAL, 57 CM HOOG

VERSNELLINGEN
2 x 6, DERAILLEUR CAMPAGNOLO NUOVO RECORD

REMMEN
VELGREMMEN SIDE PULL CAMPAGNOLO

BANDEN
27 INCH, TUBES

De matzwarte motorkap van de Opel Manta was op zeker moment in Duitsland synoniem met alles wat met sport te maken had, en goud was natuurlijk altijd al het symbool van luxe. Manfred en Rolf Brügelmann in Frankfurt, een grote fietsenwinkel, liet bij Colnago een reeks fietsen in goud-en-zwart maken.

Zij begonnen hun winkel in 1932 en brachten vanaf 1960 jaarlijks een postordercatalogus uit die zo dik was als een telefoonboek. Tussen de jaren 1970 en 1990 waren zij uiterst succesvol en onderhielden ze uitstekende relaties met bekende fietsenbouwers. Ernesto Colnago voorzag Brügelmann graag van materiaal, evenals Cino Cinelli, en klanten konden bij Brügelmann zelfs zelf hun fiets voorzien van hoogwaardige onderdelen.

Rond 1980 zette Brügelmann zijn speciale, gegraveerde en geanodiseerde tot zelfs vergulde onderdelen in de catalogus. Het psychologische verschijnsel van het pimpen van de fiets is immers ook een wezenlijk onderdeel.

BREV. CAMPAGNOLO

BRUGELMANN
BRUGELMANN
BRUGELMANN

RIGI Bici Corta
HOOGWAARDIG STAAL EN ANDERE VERFIJNINGEN

SOORT
RACEFIETS, BIJZONDERE MODELLEN

LAND
ITALIË

JAAR
ca. 1979

GEWICHT
9,6 KG

FRAME
GEPOLIJST STAAL, 55 CM HOOG

VERSNELLINGEN
2 x 6, DERAILLEUR CAMPAGNOLO RALLY

REMMEN
VELGREMMEN SIDE PULL CAMPAGNOLO SUPER RECORD

BANDEN
27 INCH, TUBES

Dit model draagt de subnaam 'Bici Corta' (korte fiets) en bij meting blijkt de wielbasis dan ook 6 cm korter te zijn dan die van conventionele racefietsen, die een wielbasis hebben van 37,5 inch (94 cm) (zie de W. & R. Baines V.S. 37 op pag. 156).

Om die kortere wielbasis te realiseren moet de zitbuis gespleten worden zodat het achterwiel ertussen past. Net als de V.S. 37, beloofde Rigi (een afkorting van Rinaldi Giorgio, oprichter van het bedrijf) deze fiets perfecte manoeuvreerbaarheid op de baan en superieur rijgedrag bij het klimmen in de bergen.

Het frame is van een extra lichtgewicht stalen buizenset, die alleen met zilver gesoldeerd mag worden (het smeltpunt van gewoon hardsoldeer is te hoog voor dit staal). De fiets is gebouwd door Rima (een afkorting van Rinaldi Marco, de zoon van Giorgio), fabrikant van kantoorartikelen en schoolmeubilair.

In 1979 werd de Rigi Bici Corta genomineerd voor de 'Compasso d'Oro', een prijs voor Italiaans topdesign.

BERMA Professional
GETINT CHROOM

SOORT
RACEFIETS

LAND
ITALIË

JAAR
ca. 1980

GEWICHT
9,2 KG

FRAME
VERCHROOMD STAAL + BLANKE LAK, 57,5 CM HOOG

VERSNELLINGEN
2 x 6, DERAILLEUR CAMPAGNOLO SUPER RECORD ICS

REMMEN
VELGREMMEN SIDE PULL MODOLO PROFESSIONAL

BANDEN
27 INCH, TUBES

Mario Bertocco was een technicus bij de fietsenfabriek van Torpado toen hij zijn eigen bedrijf, Berma, opzette. 'Berma' is een acroniem van zijn naam, en tegenwoordig runnen zijn kleinkinderen de onderneming in Padua in Italië. ('Torpado' is overigens een acroniem van Torelli, Padova).

Toen de gestroomlijnde, zeer gewilde Professional werd gefabriceerd hadden zijn zonen Antonio en Renzo de leiding. De bronskleurige Professional was gesatineerd, een techniek die in de jaren 1920 opkwam toen Harry Wyld en zijn fietsen de aandacht trokken vanwege de 'Golden Wyld glaze': getinte, verchroomde buizen met een laag blanke lak, een bewerking die decennialang van tijd tot tijd in de mode was.

In de periode van de Berma Professional waren de dure, van titanium vervaardigde onderdelen van Campagnolo's Super Record al legendarisch. Vanaf het moment dat oprichter Tullio Campagnolo in 1930 de naaf met snelspanner uitvond (zie pag. 13), bleef het bedrijf koploper in innovatie (en in prijs), met uitzondering van het eerste versnellingssysteem, het Cambio Corsa model. Bij deze fiets moest het achterwiel nog losgemaakt worden om van versnelling te wisselen. Het versnellingssysteem van de Gran Sport ontwikkelde zich in de vroege jaren 1950 zodanig dat het, met wat kleine aanpassingen, direct leidde tot het Super Record model dat voor de Berma Professional werd gebruikt, en dat tot 1986 werd geproduceerd.

PATENT
ICS

BERMA
BERMA

GAZELLE
Champion Mondial
DE CRUCIALE 34 MILLIMETER

SOORT
RACEFIETS

LAND
NEDERLAND

JAAR
ca. 1981

GEWICHT
10,2 KG

FRAME
GELAKT STAAL, 60 CM HOOG

VERSNELLINGEN
2 x 6, DERAILLEUR CAMPAGNOLO NUOVO RECORD

REMMEN
VELGREMMEN SIDE PULL CAMPAGNOLO RECORD

BANDEN
27 INCH, TUBES

De constructie en de lak van het frame van de Gazelle Champion Mondial waren prachtig en resulteerden in een ontwerp van ongeëvenaarde eenvoud. De belangrijkste eigenschap was de fantastische rijervaring, maar de fiets werd bekend vanwege de originele Colrout cranks. In het land van herkomst, Frankrijk, spreekt men van manivelles excentriques (excentrische cranks): crankarmen die ten minste 34 mm korter zijn dan normaal in de kortste stand, en 34 mm langer in de lange stand. De pedaalas bevindt zich altijd op het laagste punt van de ring. Het effect is dat de voet nog steeds een eenparig rondgaande beweging maakt, maar met een virtueel middelpunt op een andere plaats dan de trapas. De manivelles excentriques verdwenen geruisloos van het toneel.

Gazelle wegfietsen worden mogelijk wat onderschat, terwijl ze toch zeker een plaatsje op het wereldpodium verdienen. Het kan namelijk geen toeval zijn dat de Nederlander Jan Raas en het Frisol-Gazelle team in 1977 zo succesvol waren met dit model. Gazelle is momenteel een van de oudste (sinds 1892) nog bestaande fietsenfabrikanten wereldwijd.

PATENT CAMPAGNOLO
COLROUT

DIEREN
REYNOLDS
531
FORK
BLADES

C.B.T. ITALIA Champions
EEN AMBITIEUZE VERGISSING

SOORT
RACEFIETS

LAND
ITALIË

JAAR
ca. 1985

GEWICHT
9,2 KG

FRAME
GELAKT STAAL, 57 CM HOOG

VERSNELLINGEN
2 x 6, DERAILLEUR CAMPAGNOLO SUPER RECORD

REMMEN
VELGREMMEN SIDE PULL CAMPAGNOLO SUPER RECORD

BANDEN
27 INCH, TUBES

De bedrijfsnaam is een afkorting van 'Construzione Biciclette Tardivo' en C.B.T. werd halverwege de jaren 1950 opgericht door Giovanni Tardivo.

Pas halverwege de jaren 1970 besloot Giovanni's oudste zoon, Guido, zich serieus te gaan toeleggen op racefietsen, en toen zijn broer Bruno ook in het bedrijf aan de slag ging, kwam de focus helemaal op racefietsen te liggen, die zelfs tentoongesteld werden op Bruno Tardivo's baanbrekende beursstands.

De Champion racefiets had een ingedeukte zitbuis om ruimte te maken voor het achterwiel. De staande achtervork eindigt aan de klem van de zadelpen. De PMP cranks waren een ambitieuze vergissing op basis van de aanname dat de hoek van de cranks het dode punt van de trapbeweging kon minimaliseren. We weten nu dat dit de cranks zwaarder maakt, maar het zijn natuurlijk wel gewilde collector's items geworden.

C.B.T. Italia werkte zijn modellen af met zwart chroom, hoewel Steyr-Daimler-Puch hun daarin voor was (zie pag. 158).

3RENSHO Super Record Export
AERODYNAMICA IN OPTIMA FORMA

SOORT
RACEFIETS

LAND
JAPAN

JAAR
ca. 1984

GEWICHT
9,3 KG

FRAME
GELAKT STAAL, 57,5 CM HOOG

VERSNELLINGEN
2 x 7, DERAILLEUR SHIMANO DURA-ACE AX

REMMEN
CENTRE PULL SHIMANO DURA-ACE AX

BANDEN
27 INCH, TUBES

Maar weinig Japanse framebouwers maakten naam in het buitenland, maar Yoshi Konno was een uitzondering. Na de Olympische Spelen van 1964 in Tokyo begon hij frames van Cinelli uit elkaar te nemen en opnieuw te solderen; hij startte de verkoop van schitterende fietsen onder het merk Cherubim Cyclone in 1973. Sinds die tijd heeft hij vele originele frames ontworpen die zeer gewilde collector's items werden. Konno noemde zijn bedrijf 3Rensho, 'drie overwinningen', en renners als Nelson Vails, Koichi Nakano, Dave Grylls en Bob Mionske vierden triomfen op zijn fietsen.

De aandacht voor aerodynamische vormgeving (met name van voorvork en zadelpen), en het wegwerken van de remkabels in de zitbuis zijn de technische punten die een Konno fiets een voorsprong gaven.

DURA-ACE
DURA-ACE
JAPAN
DURA-ACE
VITTORIA

3RENSHO Super Record Export

KIRK Precision
LICHT EN ONTVLAMBAAR

SOORT
RACEFIETS

LAND
VERENIGD KONINKRIJK

JAAR
ca. 1988

GEWICHT
10,4 KG

FRAME
GELAKT MAGNESIUM, 53 CM HOOG

VERSNELLINGEN
2 x 8, DERAILLEUR SHIMANO DURA-ACE

REMMEN
CENTRE PULL WEINMANN DELTA PRO

BANDEN
27 INCH, TUBES

Het feit dat deze fiets zijn naam deelt met een ruimtereiziger die voor tv-kijkers een bekende figuur is, verwijst naar een toekomst die inmiddels door het heden is ingehaald. het frame van de Kirk is gegoten uit een magnesiumlegering, en hoewel dat metaal nog lichter is dan aluminium, is het in zuivere vorm ook uiterst brandbaar.

Omdat het frame gegoten is, en dus niet uit holle buizen bestaat, gaat het voordeel van het lichte gewicht verloren, en omdat de Kirk gemakkelijk kromtrok en maar in een of twee framehoogtes verkrijgbaar was, was het niet erg succesvol. Frank kirk presenteerde zijn uitvinding voor het eerst op de New York Cycle Show in mei 1986, maar liep niet te koop met het feit dat de daar getoonde exemplaren van 'gewoon' aluminium waren. Het aantal orders was hoog, en bracht hem enigszins in verlegenheid omdat er nauwelijks aan te voldoen was. Toen de nieuwe fabriek in Chelmsford eindelijk kon gaan draaien, brandde hij helaas na een paar dagen af; magnesiumstof was in contact met lucht spontaan ontbrand.

Voor elke fiets die daadwerkelijk ooit bij een klant werd afgeleverd, was er wel één waarvan een stuk afbrak. Dit treurige record maakt deze creatie tot een schoolvoorbeeld van een onrijp concept.

EDDY MERCKX
Corsa Extra
VAN DE MEESTER ZELF

SOORT
RACEFIETS

LAND
BELGIË

JAAR
1990

GEWICHT
10,2 KG

FRAME
GELAKT STAAL, 58,5 CM HOOG

VERSNELLINGEN
2 x 7, DERAILLEUR CAMPAGNOLO C RECORD

REMMEN
CENTRE PULL CAMPAGNOLO C RECORD DELTA

BANDEN
27 INCH, TUBES

Toen hij actief was in de wielerwereld reed Eddy Merckx op fietsen die zijn naam droegen, maar gemaakt werden door Valiero Masi, Ernesto Colnago, Ugo de Rosa of de Belgische firma Kessels. Pas in 1980, toen Ugo de Rosa hem had ingewijd in de geheimen van de framebouw, begon hij zijn eigen fabriek.

In 1990 vierde Merckx zijn tienjarig bestaan met een speciaal model. Het was in de kleuren van het team van Molteni gespoten, een Milanees vleeswarenbedrijf dat jarenlang de ploeg van Merckx had gesponsord. De meest succesvolle rijder van dit team was Merckx zelf. Van de 633 overwinningen die de ploeg behaalde, staan er 246 op zijn naam, ook met de eerste fietsen die werden geproduceerd.

Het bedrijf bestaat nog altijd, en Eddy Merckx is waarschijnlijk tot op de dag van vandaag de beste wielrenner ooit. Niemand anders slaagde erin zo'n breed en gevarieerd palmares te behalen. Voor veel fans waren de jaren 1970 de hoogtijdagen van het wielrennen.

‘Messenger Bike’
DE WEG ALS RACEBAAN

SOORT
SINGLE-SPEED, STADSFIETS

LAND
ITALIË

JAAR
ca. 1978

GEWICHT
8 KG

FRAME
GELAKT STAAL, 56 CM HOOG

VERSNELLING
VAST VERZET ZONDER FREEWHEEL

BANDEN
27 INCH, TUBES

De 'Messenger Bike' zou ideaal zijn geweest voor de koeriers van nu, omdat het de perfecte baanfiets met doortrapper is. Waarschijnlijk is het frame Italiaans, en heeft niemand zich destijds, eind jaren 1970, gerealiseerd dat het ontwerp vele jaren later ongekend populair zou worden.

Om te vertragen zonder remmen moet je met je bovenlichaam ver over het stuur leunen, terwijl je met de cranks op het achterwiel afremt, zodat je slippend tot stilstand komt. De platte spaken in het voorwiel zorgen voor betere aerodynamica, terwijl de brug (in gotische stijl) tussen de achtervorken zelfs stationair een verrukkelijk detail vormt.

De kwalitatief hoogstaande onderdelen uit de Dura-Ace-10-serie (zie ook de inBike/Textima op pag. 78), zijn door NJS (Nippon Jitensha Shinkokai), de Japanse autoriteit op het gebied van Keirin wedstrijden, geschikt bevonden voor de krachtige baanrenners.

MERCIAN 'Custom'
SPECIALISTEN OP DE WEG

SOORT
STADSFIETS, SINGLE-SPEED

LAND
VERENIGD KONINKRIJK

JAAR
2005

GEWICHT
8,5 KG

FRAME
GELAKT STAAL, 58,7 CM HOOG

VERSNELLING
1, VAST VERZET

BANDEN
28 INCH, DRAADBANDEN

Het feit dat bij deze Mercian de linkerkant van de achtervork is verchroomd, en niet, zoals je zou verwachten, de rechter, is heel opvallend; het was een idee van de eerste eigenaar. De Mercian werd met de hand gebouwd op basis van zijn specificaties, en dat duurde negen maanden.

De vork is recht zoals bij een polofiets, maar die fietsen zijn uitgerust met een freewheel en remmen om snel te kunnen manoeuvreren. Met de Mercian daarentegen kan eigenlijk alleen rechtuit worden gereden, omdat als gevolg van de extreem korte wielbasis het voorwiel onmiddellijk de pedalen raakt zodra het stuur even uit het midden gaat. De voeten stilhouden in verticale stand gaat ook niet, omdat het een doortrapper is: de cranks blijven draaien zolang de fiets rijdt.

Fietsen van Mercian zijn vanaf 1946 geproduceerd in Derby in Engeland, en hoewel de firma een aantal keren verhuisde, staat hij nog altijd in dezelfde stad. In 2007 ging Mercian een samenwerkingsverband aan met modeontwerper Paul Smith (zie pag. 6) om twee limited editionmodellen te bouwen, die natuurlijk een extra stijlvol design kregen.

GT Vengeance Aero Mark Allen

PERFECT VOOR DE TRIATLEET

SOORT
RACEFIETS

LAND
VERENIGDE STATEN

JAAR
1998

GEWICHT
9,3 KG

FRAME
GELAKT ALUMINIUM, 'HOOG'

VERSNELLINGEN
2 x 8, DERAILLEUR SHIMANO 600

REMMEN
VELGREMMEN SIDE PULL SHIMANO 600

BANDEN
26 INCH, TUBES

Voor de aerodynamica van de GT Vengeance werd de druppelvorm nog eens extra platgedrukt tot hij gelijkenis vertoonde met het lemmet van een mes; zo zou je de doorsnede van de meeste buizen kunnen omschrijven. Hij werd ontworpen voor het olympisch team van de Verenigde Staten voor de Spelen in 1996 in Atlanta en werd ook opgenomen in het normale aanbod van GT. De prestaties waren uitstekend.

Ook Mark Allen, de man die rond 1990 zo ongeveer elke triathlon won, vierde er triomfen mee. Hij was een van de 'Big Four' van deze sport, werd zes keer uitgeroepen tot 'triatleet van het jaar' door het tijdschrift Thriathlete, en werd door het tijdschrift Outside in 1997 aangewezen als 'World's Fittest Man'. In datzelfde jaar werd de GT Vengeance Mark Allen Edition geleverd aan GT-dealers, voorzien van 26-inch wielen, drie framehoogtes en stijlvolle details. Zo werd de zadelpen (die natuurlijk aerodynamisch was vormgegeven) niet met een traditionele klem bevestigd, maar met drie madeschroeven.

GT werd in 1979 opgericht door Gary Turner en zijn vriend Richard Long in Santa Ana in Californië en zij breidden hun arsenaal aan BMX-fietsen al snel uit met mountainbikes en later ook racefietsen. Dat vrijwel niemand enige aandacht had voor hun faillissement op 11 september 2001 is begrijpelijk; op die datum waren alle ogen gericht op de rampzalige gebeurtenissen in New York City.

AIRNIMAL
Chameleon
HET BESTE VAN TWEE WERELDEN

SOORT
VOUWFIETS, RACEFIETS

LAND
VERENIGD KONINKRIJK

JAAR
ca. 2005

GEWICHT
10 KG

FRAME
GELAKT ALUMINIUM, 49,4 CM HOOG

VERSNELLINGEN
3 x 9, DERAILLEUR SHIMANO 105

REMMEN
VELGREMMEN SIDE PULL SHIMANO 105

BANDEN
24 INCH, DRAADBANDEN

Het Britse bedrijf Airnimal had dezelfde ambities als vrijwel alle fabrikanten van vouwfietsen: ze wilden een klein, opvouwbaar model maken dat toch uitstekend voldeed op de weg. Aan de Airnimal Chameleon werd vier jaar gewerkt voordat deze fiets met zijn ongebruikelijke 24-inch wielen daadwerkelijk de straat op ging. Hij rijdt in feite als de superieure, lichte fiets die hij is.

Het achterwiel wordt geveerd met een elastomeer zonder dat dat, zo claimt Airnimal, de snelheid drukt. Als je de fiets ineenvouwt klapt de achtervork onder het frame; wie bereid is een paar minuten met een stukje gereedschap aan de slag te gaan, kan hem demonteren tot een heel klein pakketje, maar als je in een paar seconden klaar wilt zijn, moet je genoegen nemen met een minder compact geheel. Een redelijk compromis, zou je zeggen.

De Airnimal Chameleon heeft meer dan eens bewezen dat hij het goed doet in wedstrijden. Hij deed het goed in de klassieker Parijs-Brest-Parijs, en Peter Howard won er brons mee tijdens een wereldkampioenschap triatlon voor senioren in Nieuw-Zeeland.

DAHON
Hammerhead 5.0
EEN FIETS UIT TWEE MILJOEN

SOORT
BIJZONDERE MODELLEN, RACEFIETS

LAND
TAIWAN/VERENIGDE STATEN

JAAR
ca. 2005

GEWICHT
8,9 KG

FRAME
GELAKT ALUMINIUM, 50,5 CM (HOOG)

VERSNELLINGEN
10, DERAILLEUR SHIMANO DURA-ACE (ACHTER)

REMMEN
VELGREMMEN SIDE PULL

BANDEN
20 INCH, DRAADBANDEN

Dr. David Hon emigreerde van Hong Kong naar Californië om natuurkunde te studeren en ontdekte zo de fiets, en zijn liefde ervoor. Samen met zijn broer bestudeerde hij ieder type vouwfiets, en op de New York Bike show in 1980 kwam hij met zijn eerste eigen prototype.

Hon slaagde erin investeerders te interesseren en kon dus aan de slag. In 1982 richtte hij zijn bedrijf, Dahon, op. Sinds die tijd heeft de firma meer dan twee miljoen fietsen verkocht, waaronder ook een aantal die niet opvouwbaar zijn, zoals deze Dahon Hammerhead.

Het is weliswaar geen vouwfiets, maar hij is wel uitgevoerd met een uiterst compact DualArc-frame en verende Kinetix Q-voorvork. Dankzij het aluminium frame weegt de Hammerhead maar 10,2 kg, terwijl de speciale 5.0 uitvoering slechts 8,9 kg weegt.

Al met al valt de Hammerhead dus in de categorie 'minifietsen', al kan die aanduiding een verkeerd beeld oproepen. Het rijgedrag van deze fiets is fantastisch, waarmee hij uitstekend past binnen de traditie van de fietsen van Alex Moulton (zie pag. 100 en 102), die in de jaren 1960 een heel nieuw tijdperk in de constructie van fietsen inluidde.

De ervaring van rijden op deze eersteklas fiets wordt bij de Hammerhead versterkt door de schitterende, handgemaakte 20-inch HED-wielen. De garage waarin in de jaren 1980 werd begonnen met het maken van deze wielen, is het enige deel van het bedrijf dat verhuisd is naar een ruimere behuizing.

BIKE FRIDAY
New World Tourist
KLEINE WIELEN, GROOT BEREIK

SOORT
VOUWFIETS, RACEFIETS, TOERFIETS

LAND
VERENIGDE STATEN

JAAR
1998

GEWICHT
10 KG

FRAME
GELAKT STAAL, 58 CM HOOG

VERSNELLINGEN
3 x 8, SPECTRO NAAF PLUS DERAILLEUR

REMMEN
V-BRAKES AVID

BANDEN
20 INCH, DRAADBANDEN

Bike Friday is een fiets om de wijde wereld mee in te trekken. Alan en Hanz Scholz begonnen met experimenteren met tandems, maar hun vriend Richard Gabriel inspireerde hen tot het bouwen van toerfietsen die je ook vrij onopgemerkt met een ander transportmiddel mee kon nemen.

De 'World Tourist' met diamantframe, en zijn opvolger, de 'New World Tourist', met zijn solide centrale buis, is uitgerust met een slim vouwmechaniek. De scharnierende delen vallen allemaal langs elkaar, en als de fiets helemaal is opgevouwen, past hij in een koffer die probleemloos meekan in het vliegtuig of de trein.

Als je op de Bike Friday rijdt, kun je de koffer als aanhangwagentje voor je bagage gebruiken, en met de Sachs/SRAM-3 x 8 naaf/derailleurcombinatie kun je flink vaart maken. Alan en Hanz Scholz zijn vooral gecharmeerd van het idee dat vliegtuigpassagiers meteen na aankomst op de fiets hun reis kunnen voortzetten.

SKOOT INTERNATIONAL LTD
Skoot
IN ALLE ERNST

SOORT
BIJZONDERE MODELLEN, VOUWFIETS, STADSFIETS

LAND
VERENIGD KONINKRIJK

JAAR
2001

GEWICHT
14,5 KG

FRAME
PLASTIC + STAAL, 53 CM HOOG

VERSNELLINGEN
1

REMMEN
VELGREMMEN SIDE PULL

BANDEN
12 INCH, DRAADBANDEN

Ontwerper Vincent Fallon en zijn zoon Vaughan richtten in Colchester Skoot International op en brachten deze fiets op de markt. Het ABS-plastic (Lustran) voor het koffervormige frame (dat ook wordt toegepast voor dashboards en bumpers, omdat het zo stevig is) en de spatborden worden door Bayer in Leverkusen in Duitsland geproduceerd.

Dit oogt misschien als een grap, maar het is toch echt een serieus product: een koffer in de vorm van een fiets, en andersom. Als je het zadel, de wielen en het stuur uitklapt en de cranks bevestigt, kun je op de skoot een kleine afstand afleggen (onder het oog van geamuseerde voorbijgangers). Je kunt er zelfs een aktetas of laptop in opbergen.

Het dragen van de koffer met ingeklapte fiets is niet echt een optie, met een gewicht van 14,5 kg, maar in het openbaar vervoer is het net een gewone koffer, waar je dus geen apart kaartje voor hoeft te hebben.

T&C Pocket Bici

EEN WONDERLIJKE SCULPTUUR

SOORT
BIJZONDERE MODELLEN, VOUWFIETS

LAND
ITALIË

JAAR
ca. 1963

GEWICHT
15,4 KG

FRAME
GELAKT STAAL, 37 CM HOOG

VERSNELLING
1

REMMEN
VELGREMMEN

BANDEN
12 INCH, DRAADBANDEN

Een opgevouwen T&C Pocket Bici heeft nog het meest weg van een beeldhouwwerk, dus is het misschien het best om hem te bewaren in zijn speciale draagtas of een koffer. Ook als hij klaar is voor gebruik, is het een opvallende verschijning, die op fietspaden zeker niet onopgemerkt blijft.

De Pocket Bici werd uitgevonden en gepatenteerd door T&C (Tresoldi & Casiraghi SRL) in Carugate in de provincie Milaan. Ze verkochten er ongeveer 2500, voornamelijk in China, maar de interesse in eigen land bleef beperkt.

Het vouwmechanisme werkt nogal ingewikkeld, en rijeigenschappen komen overeen met wat je mag verwachten van een vouwfiets met 12-inch wielen. Niettemin wekken de kabelremmen de suggestie van volwassen ambitie. Zonder de dubbele aandrijving, die een tamelijk extravagante indruk maakt, zou het kettingwiel voor groter zijn dan de wielen zelf.

KATAKURA Silk Porta Cycle JAPANSE FIETSVOUWKUNST

SOORT
VOUWFIETS, STADSFIETS

LAND
JAPAN

JAAR
ca. 1964

GEWICHT
16,4 KG

FRAME
GELAKT STAAL, 33 CM HOOG

VERSNELLING
1

REMMEN
VELGREMMEN SIDE PULL JS (VOOR),
TERUGTRAPREM (ACHTER)

BANDEN
20 INCH, DRAADBANDEN

Halverwege de jaren 1960 deed Japan veel inspiratie op door Europese ontwerpen te bestuderen. Zowel vouwfietsen als torpedo's waren erg populair, zoals aan dit Japanse exemplaar goed te zien is. Het stuur loopt aan de onderkant uit in twee projectielachtige punten, en kan, net als de rechtercrank, ingeklapt worden.

Dit model werd niet ontworpen om snel door het Japanse verkeer te slalommen of een handzame fiets in de kofferbak te hebben, maar was oorspronkelijk bedoeld om voorraden voor de Vietnamese troepen in de Vietnamoorlog te vervoeren. Pas na die oorlog begon de civiele opmars van deze fiets. Zo werd hij in Duitsland op de markt gebracht als 'fiets voor in de auto', zoals de meeste vouwfietsen werden aangemerkt. Er waren weinig vouwfietsen met wielen van normale afmetingen, zoals de Demontable (zie pag. 40) van René Herse, de BSA Paratrooper (zie pag. 218) of Trussardi (zie pag. 122).

Katakura, een bedrijf dat er in de jaren 1990 mee ophield, was voornamelijk een zijdespinnerij, maar racefietsen behoorden ook tot hun arsenaal.

En dan terzijde: als je een ingevouwen Katakura Silk Porta Cycle tegenkomt, begrijp je ineens waarom yoga zo populair is.

LE PETIT BI
HET PRILLE BEGIN

SOORT
VOUWFIETS, STADSFIETS

LAND
FRANKRIJK

JAAR
ca. 1937

GEWICHT
15,1 KG

FRAME
GELAKT STAAL, 26,5 CM HOOG

VERSNELLINGEN
3, DERAILLEUR SIMPLEX TOURISTE (ACHTER)

REMMEN
VELGREMMEN SIDE PULL DALNAY

BANDEN
18 INCH, DRAADBANDEN

De overeenkomsten tussen de Petit Bi en de Katakura Silk Porta Cycle (zie pag. 214) zijn bijna griezelig, zeker als je kijkt naar het vouwmechanisme van het stuur.

Le Petit Bi was mogelijk de eerste vouwfiets met kleine wielen die voor volwassenen bedoeld was. Het frame zelf werd niet gevouwen, zodat de ruimtebesparing beperkt bleef. De fiets werd wel korter en lager en kon zelfs verticaal op zijn bagagedrager staan, al was het wel raadzaam om de tassen eraf te halen.

Bijzondere onderdelen waren de remmen, het leren zadel met decoraties in reliëf, en de geveerde zadelpen – nu heel gewoon, maar destijds iets heel nieuws.

Het opvouwbare stuur liep vooruit op de latere trend, maar het was Alex Moulton die de fiets met kleine wielen echt populair maakte (zie de Speedsix op pag. 102).

Om het stuur zit een vernikkeld messing stropje met de naam van de eigenaar en diens adres erin gegraveerd. Die vorm van identificatie was in Frankrijk tot 1988 verplicht.

BSA
Paratrooper
DE FIETS DIE UIT DE LUCHT KWAM VALLEN

SOORT
BIJZONDERE MODELLEN, VOUWFIETS

LAND
VERENIGD KONINKRIJK

JAAR
ca. 1940

GEWICHT
13,6 KG

FRAME
GELAKT STAAL, 44 CM HOOG

VERSNELLING
1

REMMEN
CENTRE PULL VOOR EN ACHTER

BANDEN
26 INCH, DRAADBANDEN

Deze fietsen van BSA werden tijdens de Tweede Wereldoorlog door het Britse leger met een parachute aan de wielen gedropt. Er werden er meer dan 60.000 geproduceerd voor het Britse leger, dat specialisten inhuurde om militairen te instrueren hoe ze de fiets moesten gebruiken. De Paratrooper speelde een rol bij de landing in Normandië, en daarmee een rol in de geschiedenis.

Zadel en stuur wezen omlaag en moesten zo ver mogelijk uitgetrokken worden, en slechts losjes vastgezet, zodat ze bij het raken van de grond deels in de buizen zouden worden gedrukt zonder schade aan de fiets.

Hoewel deze vouwfietsen behoorlijk zwaar waren, zou hij zonder vouwbaar frame nog merkwaardiger aan de parachute hebben gebungeld.

Een kleinere fiets zou zeker gemakkelijker gedropt kunnen worden, maar het terrein leende zich niet voor kleine wielen.

De pedalen, die met een 'klik' door de cranks naar binnen dan wel naar buiten geduwd konden worden, maakten het pakket nog compacter.

BSA is de afkorting van 'Birmingham Small Arms': het bedrijf begon in 1861 als wapenfabriek, maar maakte in 1940 alleen nog fietsen en motoren. In 1983 nam het modebedrijf Trussardi het idee van de BSA Paratrooper over en maakte er een luxe toerfiets met allerlei leren elementen van (zie pag. 122), de fiets vormde een fraaie toevoeging aan hun overige producten.

‘Inconnu’ ALS JE MAAR GÉÉN HAASTHEBT

SOORT
BIJZONDERE MODELLEN, VOUWFIETS, STADSFIETS

LAND
FRANKRIJK

JAAR
ca. 1950

GEWICHT
14,5 KG

FRAME
GELAKT STAAL, 32 CM HOOG

VERSNELLING
1

REMMEN
VELGREMMEN SIDE PULL CLB 650 (ACHTER)

BANDEN
14 INCH, DRAADBANDEN

Wie deze fiets in elkaar wil vouwen, zodat hij wat minder ruimte inneemt, moet daar zeker tijd voor vrijmaken. Als je hem voor het eerst ziet, krijg je al zo'n voorgevoel, en de praktijk wijst uit dat dat juist was. Je bent ongeveer een uur bezig als je deze fiets wilt vouwen, zelfs als je het mechanisme kent. En als dat dan eindelijk gelukt is, zit je nog met een log gevaarte: een platter en breder object waar je een trekhaak voor nodig hebt – een bijzonderheid die je uniek mag noemen. Als je hem niet kunt trekken, kun je hem aan het 'handvat' voortduwen, maar daarvoor moet je wel bukken.

Opmerkelijk is de doorlopende framebuis waar de achterrem op gemonteerd zit. Een voorrem ontbreekt. De fiets is niet echt licht: 14,5 kg. De maker is onbekend: Nergens op de fiets vind je ook maar één verwijzing naar de 'schuldigen'. Zelfs geen resten van een transfer. Van de 'inconnu', een terechte bijnaam, bestaat er dan ook maar één, en die zie je hier.

DUEMILA Duemila
ALS EEN RAKET NAAR DE WINKEL

SOORT
BIJZONDERE MODELLEN, VOUWFIETS, STADSFIETS

LAND
ITALIË

JAAR
ca. 1968

GEWICHT
19,5 KG

FRAME
GELAKT STAAL, IN HOOGTE VERSTELBAAR

VERSNELLING
1, SACHS DUOMATIC

REMMEN
VELGREMMEN SIDE PULL (VOOR),
TERUGTRAPREM (ACHTER)

BANDEN
20 INCH, DRAADBANDEN

Alleen de naam al van deze fiets ('tweeduizend') verwijst naar de toekomst en reflecteert de obsessie met ruimtevaart die in de jaren 1960 de wereld in haar greep hield: het Atomium en de eerste Spoetnik dateren van 1958.

Het logo borduurt verder op dit thema: de merknaam is vormgegeven als elektronen die cirkelen rond een atoomkern. Voor die tijd was het een vooruitstrevend ontwerp, maar nu is het erg gedateerd, net als de natuurkundige theorieën van Niels Bohr. Een ritje naar de supermarkt veranderde met de Duemila in een trip naar de final frontier.

De Duemila was een van de mooiste vouwfietsen uit die klassieke periode, maar tegelijk was het wonderlijk genoeg een zeer onpraktisch ontwerp. Zo was de hoogte van het zadel niet op de normale manier verstelbaar, maar kon je het alleen een eindje kantelen om een paar kostbare centimeters hoger of lager uit te komen.

2000

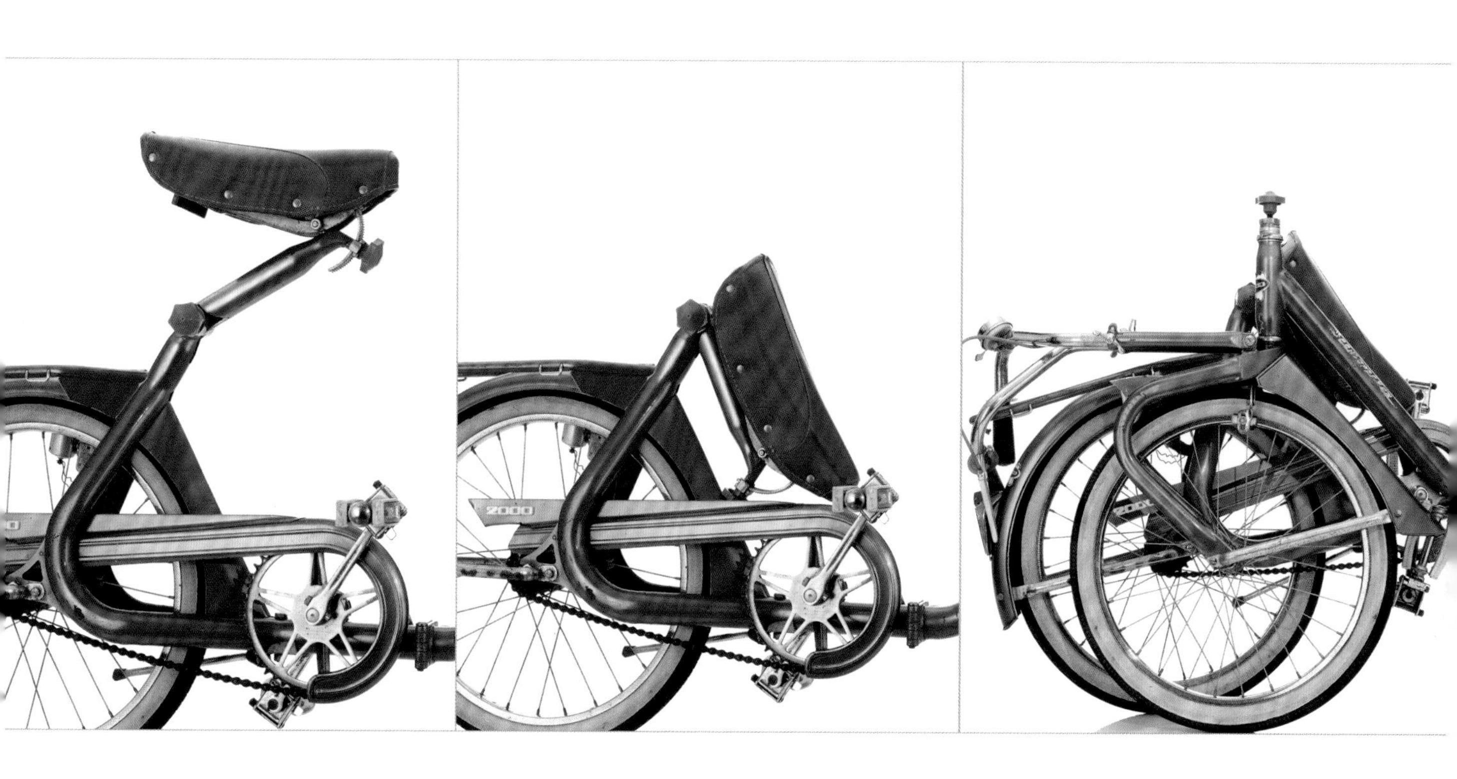
2000

BICKERTON Portable

EEN VLEUGJE ROLLS ROYCE

SOORT
VOUWFIETS, STADSFIETS

LAND
VERENIGD KONINKRIJK

JAAR
ca. 1971

GEWICHT
9,6 KG

FRAME
ALUMINIUM, 26 CM HOOG

VERSNELLINGEN
STURMEY-ARCHER 3-VERSNELLINGSNAAF

REMMEN
VELGREMMEN SIDE PULL WEINMANN TYPE 730

BANDEN
14 INCH, DRAADBAND (VOOR),
16 INCH, DRAADBAND (ACHTER)

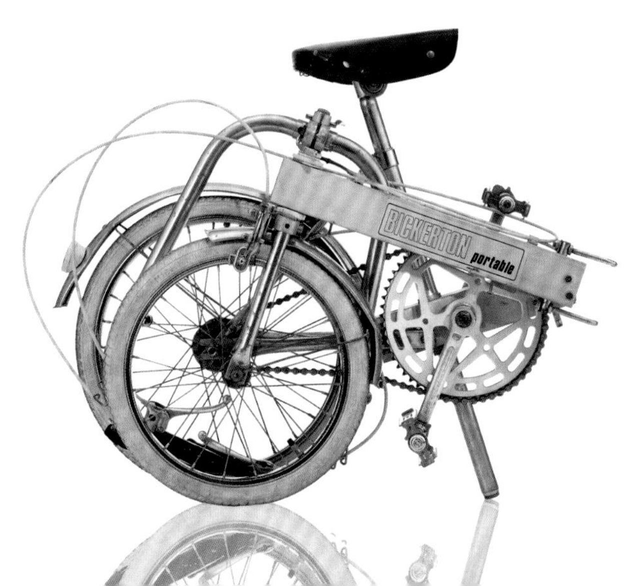

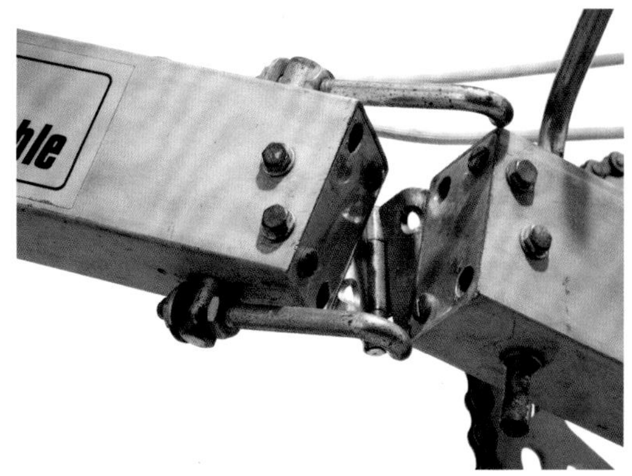

Deze fiets werd ontworpen door Harry Bickerton, een ingenieur bij de vliegtuigafdeling van Rolls-Royce. Het verhaal gaat dat hij zijn rijbewijs kwijt was, maar zich toch graag in stijl wilde verplaatsen. De Bickerton Portable was de eerste vouwfiets die werkelijk licht was en gemakkelijk te tillen. Je kon hem zo klein opvouwen dat hij zelfs in de kofferbak van een klassieke Mini paste. Het frame en de afmontage waren volledig van aluminium, met uitzondering van de stalen velgen. Nu we een paar decennia verder zijn, kunnen we met een gerust hart zeggen dat het ontwerp wel wat tekortkomingen vertoonde; vergeleken met een Rolls viel er op prestige en kwaliteit wel wat af te dingen. Het enorme, dubbel uitschuifbare stuur en de lange zadelpen kregen al gauw speling, en daardoor ging de fiets zwabberen. Toen de ontwerper er zelf mee onderuit was gegaan, schreef hij in een brochure: 'ontworpen voor intelligente, kundige mensen, en dus niet voor gorilla's.'

De Bickerton verkocht uitstekend, en tussen 1971 en 1989 zijn er rond de 50.000 geproduceerd.

STRIDA LTD
Strida 1
EEN ECHTE INOVATIE

SOORT
BIJZONDERE MODELLEN, VOUWFIETS, STADSFIETS

LAND
VERENIGD KONINKRIJK

JAAR
1988

GEWICHT
11 KG

FRAME
POEDERCOATED ALUMINIUM,
IN HOOGTE VERSTELBAAR

VERSNELLING
1

REMMEN
TROMMELREMMEN

BANDEN
16 INCH, DRAADBANDEN

De Strida 1, een ontwerp van Mark Sanders, werd bij de lancering in 1987 bedolven onder prijzen: bij de UK Cyclex Bicycle Innovation Awards van 1988 werden hem de titels 'Best New Machine', 'Best British Product' en 'Best in Show' toegekend. De Strida 1 was van meet af aan een doorslaand succes, en is dat nog steeds.

De fiets was bedoeld voor afstandjes tot zo'n zes kilometer, en met zijn kleine wielen en de ongemakkelijke zit was zelf dat al een rijkelijk lange afstand.

Het technische hoogstandje van dit ontwerp zijn de kevlar aandrijfriem, de remkabels die door de buizen zijn geleid, en de eenzijdig opgehangen kunststof wielen met geïntegreerde zijreflectoren. Bovendien is hij binnen tien seconden in elkaar te vouwen.

De Strida wordt geproduceerd in Taiwan en is bezig aan zijn vijfde generatie.

ELETTROMONTAGGI SRL
Zoombike
TUSSEN OPENBAAR VERVOER EN BESTEMMING

SOORT
BIJZONDERE MODELLEN, VOUWFIETS

LAND
ITALIË/DUITSLAND

JAAR
ca. 1994

GEWICHT
10,3 KG

FRAME
ALUMINIUM, 55 CM HOOG

VERSNELLINGEN
3, DERAILLEUR (ACHTER)

REMMEN
VELGREMMEN SIDE PULL SHIMANO EXAGE

BANDEN
14 INCH, DRAADBANDEN

De oorspronkelijke bedoeling van Richard Sapper (die ontwierp voor Alessi, Artemide, Mercedes-Benz en anderen) was het creëren van een snelle, gemakkelijke fiets voor in de stad, waar je mee verder kon als je uit de trein of bus was gestapt. Na tien jaar werd de Elettro-Montaggi SRL Zoombike in 1998 gepresenteerd op de Frankfurt Auto Salon als het ultieme vervoermiddel om de lange afstanden op de beurs mee te overbruggen.

Hoewel er enorm veel belangstelling was voor de fiets en er niet minder dan zestig prototypen werden gemaakt, werd hij nooit in serieproductie genomen.

De zoombike kon bogen op een licht, aluminium frame en een lineaire, strakke vormgeving met perfect geïntegreerde onderdelen. als de fiets was opgevouwen, viel de derailleur met drie versnellingen keurig in de centrale buis, net als de koplamp en batterij; een slim geplaatste led-lamp in de bovenste buis fungeerde als achterlicht, en de kabels liepen door het frame en bogen met de scharnierpunten mee. De opgevouwen Zoombike had veel weg van de Strida 1 (zie pag. 228).

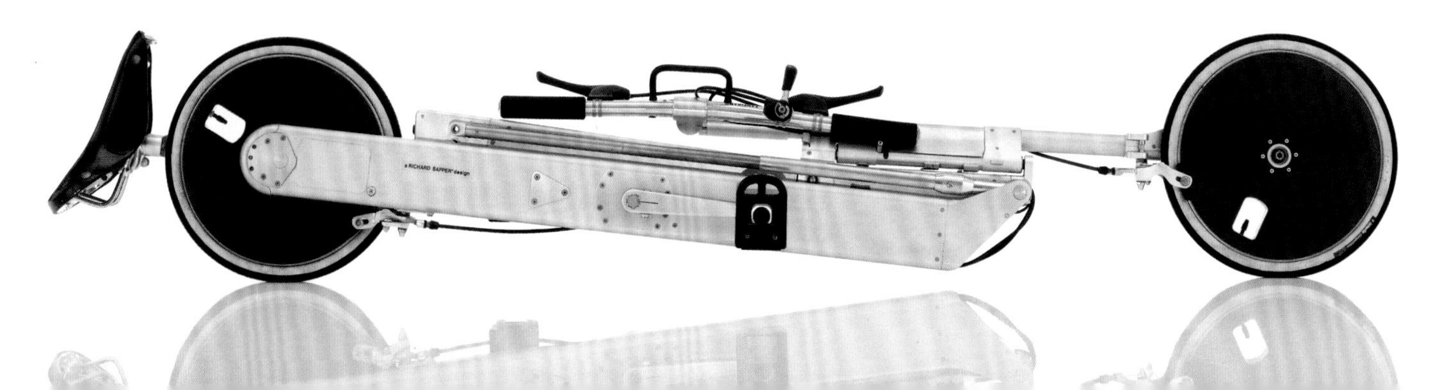

SACHS Tango
ROEMLOOS TEN ONDER

SOORT
VOUWFIETS, STADSFIETS

LAND
NEDERLAND

JAAR
2000

GEWICHT
20,6 KG

FRAME
GEPLASTIFICEERD ALUMINIUM
+ STAAL, 53 CM HOOG

VERSNELLINGEN
SHIMANO NEXUS 4-VERSNELLINGSNAAF (ACHTER)

REMMEN
TROMMELREM SHIMANO

BANDEN
16 INCH, DRAADBANDEN

De Tango, die er op het eerste gezicht uitziet als een Duits product, is van origine een Nederlandse creatie van een kortstondig Nederlands ontwerpbureau, Urban Solutions, dat zich specialiseerde in stadsauto's. De fiets vertoont dan ook veel overeenkomsten met zijn vierwielige neefjes. De Tango zou onderhoudsvrij zijn, volledig geveerd met elastomeren, bestendig voor de eeuwigheid met polyurethaancoating en een volledig onderhoudsvrije aandrijving. maar het gewicht, de techniek en de prijs lieten het afweten.

De Tango werd gepresenteerd in 1997 tijdens de ontwerpwedstrijd Vision 2000 die door Shimano was georganiseerd, en kwam als ultieme winnaar, die twaalf andere inzendingen achter zich liet, uit de bus.

Het lukte Urban Solutions desondanks niet om de Tango productierijp te krijgen. Sachs, de restanten van het eens zo machtige tweewielerimperium, nam het project over. Sachs slaagde er nog in het project door te verkopen aan Volkswagen, die het project uiteindelijk op sterk water zette.

RIESE & MÜLLER
Birdy 10th
LANG ZAL IK LEVEN

SOORT
VOUWFIETS, RACEFIETS

LAND
DUITSLAND

JAAR
2005

GEWICHT
10,9 KG

FRAME
ALUMINIUM, 36 CM HOOG

VERSNELLINGEN
2 x 9, DERAILLEUR SHIMANO 105

REMMEN
VELGREMMEN SIDE PULL TEKTRO RXS

BANDEN
20 INCH, DRAADBANDEN

De makers van de Birdy 10th, Markus Riese en Heiko Müller, noemen hun creatie een legende, die rijdt als een normale fiets. Wie niets heeft met het begrip 'legendarisch', zou het tweede argument wel van belang kunnen vinden, zeker in geval van het speciale model ter ere van de tiende verjaardag van het bedrijf.

Birdy 10th heeft 20-inch banden en rijdt dus iets zelfbewuster over kasseien dan fietsen met 18-inch bandjes. Van de speciale verjaardagseditie werden er precies honderd gemaakt. Je kon kiezen uit een recht stuur of een racestuur, maar de Himano-105 onderdelen, oorspronkelijk voor racefietsen bedoeld, waren standaard. Birdy-fietsen verschenen op de markt in 1995, maar deze aanpassingen werden voor het eerst geïntroduceerd op het hier afgebeelde model, hoewel de Birdy in die eerste 10 jaar wel al op bepaalde punten was verbeterd.

Deze slimme zet sprak de fans zeker aan: met name in Japan boekten Riese en Müller veel succes, een opmerkelijk resultaat dat eerder alleen door Brompton Titanium S2L-X (zie pag.236) werd behaald. In 2006 werd gestart met een vernieuwd ontwerp, dat meteen de IF Product Design Award won.

BROMPTON
Titanium S2L-X
SNELLER, KLEINER, INGENIEUZER

SOORT
VOUWFIETS, STADSFIETS

LAND
VERENIGD KONINKRIJK

JAAR
2009

GEWICHT
89 KG

FRAME
GELAKT STAAL + TITANIUM, 23,8 CM HOOG

VERSNELLINGEN
2, BROMPTON DERAILLEUR

REMMEN
VELGREMMEN SIDE PULL BROMPTON

BANDEN
16 INCH, DRAADBANDEN

Van de betere vouwfietsen is Brompton er een uit de eredivisie. Je kunt je niet voorstellen dat er een fiets wordt ontworpen die sneller en kleiner opgevouwen kan worden dan deze; Brompton heeft immers al dertig jaar ervaring met deze materie.

In 1976 werd Andrew Ritchey geïnspireerd door de Bickerton Portable (zie pag. 226), maar zocht hij naar manieren om het concept beter uit te voeren. De patent-specificaties beschrijven een ontwerp dat het midden houdt tussen de Bickerton en Le Petit Bi (zie pag. 216). Tien jaar later werd de eerste Brompton in serie gemaakt en begon het grote succes.

De Brompton spreekt vooral mensen aan die in steden gebruikmaken van het openbaar vervoer en merken wat voor plezierige aanvulling een vouwfiets kon zijn. Wat ook aanspreekt, is de unieke gebruikersclub van Brompton-rijders: de Vouwfiets Society.

Dankzij de titanium schommelvork, zadelpen en vork is de Brompton S2L-X ook het lichtste model in de catalogus. Inclusief cranks, stuur, zadel en pedalen weegt het afgebeelde exemplaar maar 8,9 kg. Opgevouwen meet hij 565 x 545 x 250 mm, en met twee versnellingen is hij ideaal voor de stad.

De fietsen van Brompton worden ontworpen en geproduceerd in Londen, en vervolgens geëxporteerd over de hele wereld – en dat in heel kleine kistjes, natuurlijk.

PACIFIC CYCLES
iF Mode
DE EISEN VAN DE MODERNE TIJD

SOORT
VOUWFIETS, STADSFIETS

LAND
TAIWAN

JAAR
2009

GEWICHT
14,7 KG

FRAME
GELAKT ALUMINIUM, 33 CM HOOG

VERSNELLINGEN
2, BRACKET-VERSNELLING

REMMEN
SCHIJFREM WINZIP

BANDEN
26 INCH, DRAADBANDEN

Het idee dat een vouwfiets je in de stad, in combinatie met bus, tram, metro of taxi, aangenaam mobiel maakt, wordt verder uitgewerkt in de iF Mode.

Mark Sanders (die ook tekende voor de Strida Ltd Strida 1, zie pag. 228) presenteerde dit model op de fietsbeurs van 2008 in Taiwan, en hij werd gebracht als een fiets met cardanas. Die aandrijving voldeed niet in combinatie met de twee versnellingen in het bracket die met de hak bediend werden. Daarom werd gekozen voor een gewone ketting, die door een gesloten kettingkast beschermd wordt tegen het weer.

Ondanks die ketting is de iF Mode toch geen gewone fiets. De swingarm geeft hem iets futuristisch, en als de fiets ingeklapt wordt, liggen beide volwassen wielen (26 inch) tegen elkaar aan. Al dan niet gevouwen oogt hij als iets uit de toekomst, en dat gaat zelfs zover dat twintig iF Modes een rol speelden in de Duitse romantische komedie The Days to Come, die zich afspeelt in 2020.

De letters 'iF' staan overigens voor 'Integrated Folding', en hebben niets te maken met de iF Product Design Award (waar iF staat voor 'International Forum Design'). Wel won de iF Mode die prijs in 2009, zodat de cirkel mooi rond was. Een jaar eerder won hij al de Eurobike Award.

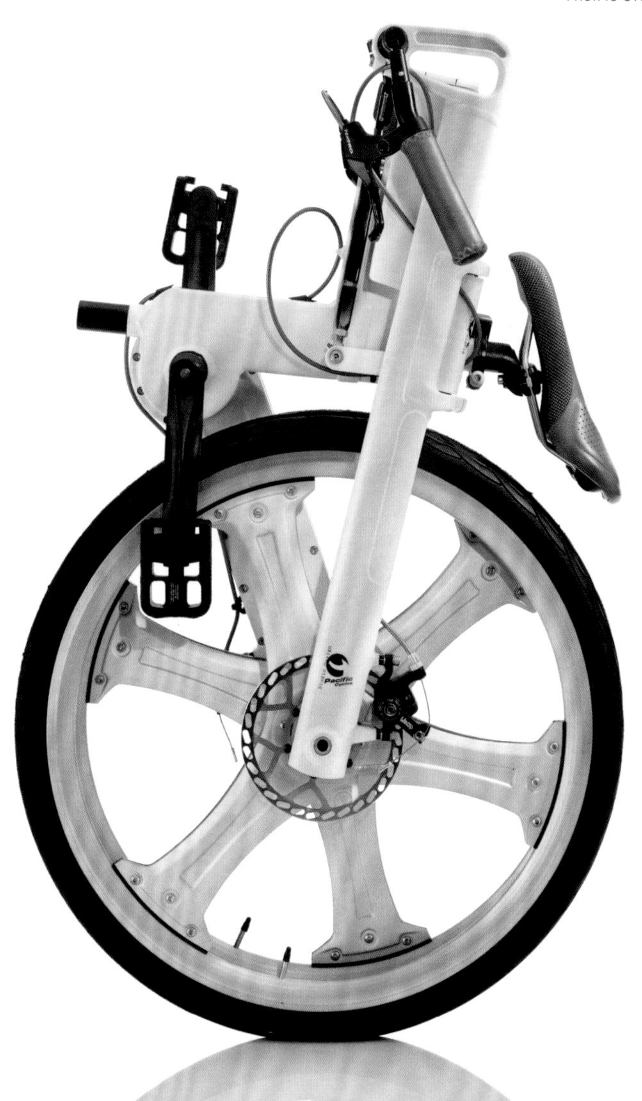

MFA 'LAMBRETTA'
NET ALS DE GROTE MENSEN

SOORT
KINDERFIETS

LAND
FRANKRIJK

JAAR
ca. 1960

GEWICHT
10,3 KG

FRAME
GELAKT STAAL, 26 CM HOOG

VERSNELLING
1

REMMEN
TERUGTRAPREM

BANDEN
12 INCH, DRAADBANDEN

Elk kind vindt het leuk om, net als papa of mama, een fiets, scooter of tractor te hebben. Deze als scooter vermomde fiets was het ideale 'voertuig' voor de geest van het kind. De MFA-Scooter was voor kinderen wier aspiraties hun evenwichtsgevoel verre vooruit waren.

Hoewel voorop de letters MFA staan (Manufacture Française d'Ameublement – een fabriek voor kinderspeelgoed), hebben de berijders zeker meer toepasselijke bijnamen verzonnen, zoals 'Lambretta' of 'Vespa'. Hoe je hem ook noemde, het was beslist de enige fiets waarop je het geluid van een brommer kon nadoen (zonder jezelf belachelijk te maken).

Het ornamentje op het spatbord, een soort glimmende torpedo met een antennetje erop, leek als twee druppels water op een soortgelijke versiering die bij de firma Biemme gemaakt werd als mascotte voor een Vespa- of Lambretta-scooter. Helemaal echt.

DUSIKA Dusika
EEN STEP MET DOORGROEIMOGELIJKHEDEN

SOORT
BIJZONDERE MODELLEN, KINDERFIETS

LAND
OOSTENRIJK

JAAR
ca. 1960

GEWICHT
10,5 KG

FRAME
GELAKT STAAL, 39 CM HOOG

VERSNELLING
1

REMMEN
BANDREM (VOOR),
TERUGTRAPREM (ACHTER)

BANDEN
12 INCH, DRAADBANDEN

De fiets van Dusika werd ontworpen met het oog op de toekomst: eerst kon een klein kind hem gebruiken om te steppen, en als het wat groter werd en meer evenwichtsgevoel ontwikkelde, kon de Dusika als echte fiets gebruikt worden.

Zitbuis, zadel, cranks en achtervork worden als één geheel op het frame geplaatst, waarbij de ketting voor de aandrijving zorgt: fiets gereed! Natuurlijk kunnen er ook zijwieltjes op gemonteerd worden.

De veelzijdige Dusika zou een ideaal cadeau voor kinderen zijn geweest, maar de uitvoering was zo kostbaar dat de afzonderlijke aanschaf van een step en een paar jaar later een fiets minder duur uitpakte.

CYCLES GITANE 'Enfant' & Profil Aero TT
ZO VADER ZO ZOON

CYCLES GITANE 'ENFANT' (LINKERPAGINA)

SOORT
KINDERFIETS, RACEFIETS

LAND
FRANKRIJK

JAAR
1982

GEWICHT
9,6 KG

FRAME
GELAKT STAAL, 39,2 CM HOOG

VERSNELLINGEN
3, DERAILLEUR HURET (ACHTER)

REMMEN
VELGREMMEN SIDE PULL WEINMANN TYPE 730

BANDEN
20 INCH, TUBES

CYCLES GITANE PROFIL AERO TT

SOORT
RACEFIETS

LAND
FRANKRIJK

JAAR
1981

GEWICHT
9,3 KG

FRAME
GELAKT STAAL, 58 CM HOOG

VERSNELLINGEN
2 x 6, DERAILLEUR SHIMANO DURA-ACE

REMMEN
SIDE PULL SHIMANO DURA-ACE

BANDEN
27 INCH, TUBES

DURA-ACE

Cycles Gitane werd in 1925 opgericht door Marcel Brunelière in Machecoul in Frankrijk, hoewel de officiële naam pas in 1930 zijn beslag kreeg; vanaf eind jaren 1950 en begin jaren 1960 werd Gitane een begrip.

Jacques Anquetil won vijf keer de Tour, waarvan drie keer op een Gitane. Gitane was van 1978 tot 1984 de vaste materiaalsponsor van Renault waarbij Bernard Hinault, alleen de bovenbuis van de Gitane Profil Aero TT is rond. Alle andere buizen zijn druppelvormig en dus optimaal aerodynamisch. de fiets bereikt overigens nooit zijn optimale luchtweerstandcoëfficiënt van 0,04 om de eenvoudige, en wat ironische reden dat er altijd iemand op zit.

Het model voor kinderen kreeg kritiek omdat het eruitziet als een gekrompen volwassen racefiets, wat hij natuurlijk – met al die dure onderdelen – ook precies is.

CINELLI
Laser
KUNSTWERK IN STAAL

SOORT
RACEFIETS

LAND
ITALIË

JAAR
ca. 1985

GEWICHT
9,5 KG

FRAME
GELAKT STAAL, 55 CM HOOG

VERSNELLINGEN
2 x 7, DERAILLEUR CAMPAGNOLO SUPER RECORD

REMMEN
VELGREMMEN SIDE PULL CAMPAGNOLO SUPER RECORD

BANDEN
27 INCH, TUBES

Als er één fiets is die model kan staan voor het hele tijdperk van de nieuwe aerodynamica dan is het wel de Cinelli Laser, die een heel nieuwe wijze van denken markeert. Het frame lijkt opgebouwd uit vloeiende gebogen lijnen, maar daaronder was de constructie uiterst torsiestijf. De buizen waren druppelvormig in doorsnee en bij de meest radicale modellen waren de onderdelen zo geplaatst dat ze uit de wind bleven. Tot in de kleinste details was alles van sublieme kwaliteit: in plaats van met lugs werden de buizen gebraseerd en daarna met de hand gladgeschuurd. de Cinelli Laser was een kunstwerk waar je op kon rijden, wat zowel toen als nu in de prijs tot uitdrukking komt. Cino Cinelli richtte zijn bedrijf op in 1947 en werd een legende op het gebied van mooie racefietsen. Toen hij in 1978 met pensioen ging, gloorde er voor het bedrijf een nieuw tijdperk. De gebroeders Columbo (van de Columbus-buizensets, de Italiaanse tegenhanger van het Britse Reynolds) kochten het bedrijf, en Andrea Cinelli, zoon van de oprichter, werd er de marketingman. Het logo werd veranderd en Gianni Gabella, de technisch manager, kreeg de vrije hand in het ontwikkelen van de Laser. Het doel was het vestigen van nieuwe records. In 1979 werd een eerste prototype getoond, en in 1983 werden de eerste productiemodellen geïntroduceerd tijdens de Pan-Amerikaanse spelen in Caracas, en niet veel later racete de Laser van de ene overwining naar de volgende, de tegenstanders verbluft achterlatend.

Er werden zelfs Tandem en futuristische modellen gebouwd, zoals de Rivoluzione Pista, die geen zitbuis had en een volledig geïntegreerde stuurpen. Overigens produceerde Cinelli ook betaalbare modellen voor op de weg.

Eind jaren 1980 gaf Andrea Cinelli zijn eigen visoenen vorm met de Cinetica Giotto (zie pag. 74).

cinelli
Laser
029

CORIMA Cougar
AMBITIEUZE PRECISIE

SOORT
RACEFIETS, SINGLE-SPEED

LAND
FRANKRIJK

JAAR
1991

GEWICHT
8,9 KG

FRAME
GELAKT CARBON, 56 CM HOOG

VERSNELLING
1, VAST VERZET

BANDEN
27 INCH, TUBES

Corima werd in 1973 opgericht door Pierre Martin en Jean-Marie Riffard, en de naam Corima staat voor Coopération Riffard Martin. Dit bedrijf legde zich volledig toe op de ontwikkeling van fietsonderdelen van carbon, zodat ze al snel een complete range aan uitstekende, en dure, onderdelen hadden. Deze fiets werd in Frankrijk geproduceerd voor de Olympische Spelen van 1992 in Barcelona.

Het monocoque frame was van carbon, een licht en stabiel materiaal, wat voor een baanfiets van groot belang is. Iedere Corima werd speciaal geproduceerd voor één bepaalde rijder, terwijl de concurrentie slechts een beperkt aantal maten te bieden had. In totaal werden ongeveer duizend framesets onder de naam Corima gemaakt, en met een daarvan brak de Brit Chris Boardman in 1993 het werelduurrecord bij de heren.

BIANCHI C-4 Project
TOEN DE TOEKOMST NOG JONG WAS

SOORT
RACEFIETS

LAND
ITALIË

JAAR
ca. 1988

GEWICHT
11,4 KG

FRAME
GELAKT CARBON, 57,5 CM HOOG

VERSNELLINGEN
2 x 8, DERAILLEUR SHIMANO DURA-ACE

REMMEN
VELGREMMEN SIDE PULL SHIMANO DURA-ACE

BANDEN
26 INCH, TUBE (VOOR),
27 INCH, TUBE (ACHTER)

De vorm van dit Bianchi C-4 Project-model heeft iets komisch atletisch met dat organisch gevormde, futuristische carbon frame.

De fiets was het resultaat van de samenwerking tussen twee Italiaanse bedrijven: F.I.V. Edoardo Bianchi S.p.A., opgericht in 1985, en daarmee de oudste nog steeds actieve fietsfabrikant, en nog altijd een legende; en C-4, het bedrijf dat Marco Bonfanti meer dan honderd jaar later oprichtte om zijn ontwerpideeën te realiseren.

Het succes liet niet lang op zich wachten en vanaf de lente van 1987 maakten de C-4 frames hun entree in de wielersport, toen het team van Bianchi met vorkframes die ontworpen en geproduceerd waren door C-4, deelnam aan de tijdrit in de Giro d'Italia. Deze frames met hun speciale eigenschappen waren hun tijd jaren vooruit: het monocoque frame van carbon, dat met de modernste NJC-technologie (No Joint Construction) was gebouwd, het frame zonder zitbuis met drie standaard frame-afmetingen, en de voorvork van carbon. Later werd het concept ook toegepast op terreinfietsen (zie pag. 58).

De Bianchi C-4 Project modellen werden meestal uitgerust met onderdelen van Campagnolo Record, maar op het hier afgebeelde model zijn onderdelen van Shimano Dura-Ace gebruikt, de grote japanse concurrent. Begin jaren 1970 kwam Shimano op de markt met onderdelen voor wegfietsen. Shimano kwam al gauw met vernieuwende ideeën als de DD-cranks, de geïndexeerd schakelende derailleurs, de commandeurs die ingebouwd zijn in de remgrepen, de tandprofielen van de cassettes; allemaal ontwikkelingen waarin het onvermoeibare technische brein van Keizo Shimano het voortouw had. Shimano en Campagnolo beconcurreren elkaar tot op de dag van vandaag.

DURA-ACE

PUCH Mistral Ultima
NU EN DAN LEGENDARISCH

SOORT
RACEFIETS

LAND
OOSTENRIJK

JAAR
1982

GEWICHT
10,5 KG

FRAME
GEVERNIST STAAL, FRAMEHOOGTE 56 CM

VERSNELLINGEN
2 x 6, DERAILLEUR CAMPAGNOLO SUPER RECORD

REMMEN
VELDREMMEN SIDE PULL CAMPAGNOLO SUPER RECORD

BANDEN
27 INCH, TUBES

Marketingexperts bedachten voor de Oostenrijkse deelstaat Steiermark (Styria) de slogan 'het groene hart van Oostenrijk'. Het topmodel van het (voormalige) Styria Puch concern was daarom groen. De Mistral Ultima was de edelste van de Mistral modellen, de Campagnolo Super Record componenten waren de allerbeste, de Reynolds 531 buizen hadden een cultstatus. De modellen hadden Cinelli zadels van ongelooid leer en sturen die met hetzelfde leer waren omwikkeld: het VIP ensemble, in die tijd het kenmerk van de kostbaarste manier van framebouwen. En om fietsers aan het merk te binden en tot ambassadeurs te maken, richtte Puch een professionele wielerploeg op.

Wat in 1980 begon als Puch-Sem-Campagnolo, met Didi Thurau en Rudi Altig, werd in 1981, toen bijvoorbeeld Klaus-Peter Thaler aan het team verbonden was, Puch-Wolber-Campagnolo. Professionele wielerploegen van Puch bestonden tot 1985 onder diverse namen, maar het bedrijf was al snel nog maar een schaduw van zichzelf. In 1987 werd de fietsentak van Puch verkocht aan het Piaggio concern, een paar jaar later behoorde het merk bij het Zweedse Monark, onderdeel van de Cycleurope groep. Vervolgens kwam Puch weer in Oostenrijkse handen: Faber, importeur van Vespa scooters, heeft de rechten op het merk verworven.

PUCH
PUCH
PUCH
PUCH
CAMPAGNOLO
BREV.INT.

PUCH
PUCH

MOULTON
Speed S
RAP ROESTVRIJ STAAL

SOORT
RACEFIETS

LAND
VERENIGD KONINKRIJK

JAAR
1997

GEWICHT
10,3 KG

FRAME
ROESTVRIJ STAAL, HOOGTE 48 CM

VERSNELLINGEN
2 x 9, SHIMANO ULTEGRA

REMMEN
VELGREMMEN SIDE PULL SHIMANO

BANDEN
17 INCH, DRAADBANDEN

Roestvrij staal is zwaarder dan gewoon staal, wat op zijn beurt zwaarder is dan aluminium, carbon of titanium, maar de Britse uitvinder Alex Moulton beschouwde het aantrekkelijke oppervlak als prachtig ruw materiaal voor superieure frames. Een speciale, aan de luchtvaart ontleende soldeermethode werd gebruikt om de smalle buizen te verbinden en een elegante, slim bedachte constructiemethode zorgde voor gewichtsbesparing, zoals de 11 kilo's van de Moulton Speed S bewijzen. Deze volbloed racefiets met een briljant rubberen veersysteem kan, dankzij verzetten die zowel geschikt zijn voor vlakke wegen als om bergen te beklimmen, overal worden ingezet. En de verliefde eigenaar kan net zoveel uren besteden aan het polijsten van deze fiets als menig autobezitter op zaterdagochtend spendeert aan zijn heilige koe.

De Moulton Speed S werd in de jaren negentig in kleine aantallen geproduceerd en verkocht voor de prijs van een tweedehands middenklasse auto.

FES
RACEN OP Z'N OOST-EUROPEES

SOORT
RACEFIETS

LAND
DUITSLAND/OOST-DUITSLAND

JAAR
1987

GEWICHT
9,9 KG

FRAME
CARBON MONOCOQUE, HOOGTE 55 CM

VERSNELLINGEN
2 x 8, DERAILLEUR SHIMANO DURA-ACE

REMMEN
VELGREMMEN SIDE PULL SHIMANO DURA-ACE

BANDEN
27 INCH, TUBES

Het is moeilijk voor te stellen, maar deze FES reed door de grijze, eentonige straten van de DDR. Daar ligt de oorsprong van deze racefiets met een officiële missie – zoals voordien de stalen Textima fietsen. De Oost-Berlijnse firma FES (Forschung und Entwicklung von Sportgeräten) werd opgericht om geschikte uitrusting te ontwerpen voor de sportmannen en -vrouwen in het land. Aanvankelijk bestond het programma uit kano's, sport sleeën en bobsleeën. De vroegste FES concepten voor de weg stammen uit 1987. Eerst carbon wielen voor racefietsen, daarna volledige frames met een zeer vooruitstrevende monocoque constructie die ook in de westerse wielerwereld nog verre van ingevoerd was. De FES frames, stuk voor stuk gebouwd voor de elite wielrenner, konden niet worden bewonderd tijdens profwedstrijden. In de DDR werden immers alleen amateurwedstrijden gehouden en Oost-Duitse sportmannen en -vrouwen mochten alleen naar het westen reizen om deel te nemen aan de Olympische Spelen. De Tour de France van het Oostblok was de zogenaamde Vredeskoers (Internationale Friedensfahrt). De DDR wielrenners waren echter van wereldklasse, zoals zestien Olympische medailles bewijzen.

De bij uitstek westerse Shimano Dura-Ace onderdelen lijken niet helemaal in het plaatje te passen, maar gek genoeg werden westerse onderdelen tot de Oost-Duitse wielerwereld toegelaten. Wellicht rekenden de autoriteiten erop dat de kleine logo's bijna niet te lezen waren als de fietsen met hoge snelheid passeerden. Dat kon niet worden gezegd van het startnummer, dat aan de bovenbuis kon worden bevestigd. Zelfs nadat de DDR al lang had opgehouden te bestaan, konden de startnummers nog worden gezien op de FES frames – het futuristische frame overleefde de val van de Muur en tot de dag van vandaag is FES aan het onderzoeken en ontwikkelen.

GUERCIOTTI
ZONNEKLAAR
UIT ITALIË

SOORT
RACEFIETS

LAND
ITALIË

JAAR
1987

GEWICHT
11 KG

FRAME
GELAKT STAAL, HOOGTE 53 CM

VERSNELLINGEN
2 x 8, DERAILLEUR SHIMANO DURA-ACE

REMMEN
VELGREMMEN SIDE PULL SHIMANO DURA-ACE

BANDEN
28 INCH, DRAADBANDEN

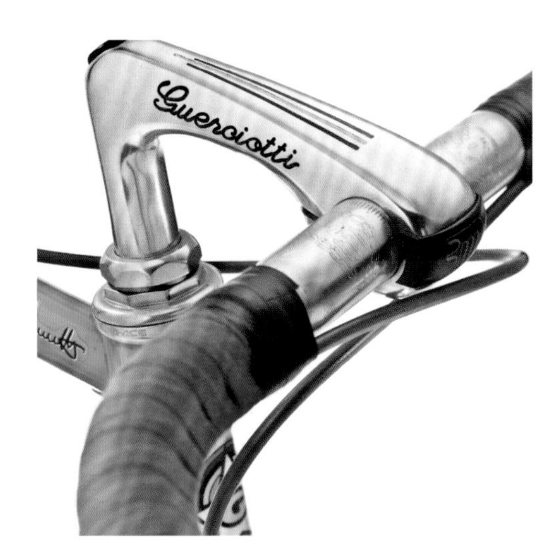

Het combineren van de Italiaanse nationale kleuren op een fietsframe werd waarschijnlijk voor het eerst toegepast door Umbert Dei in de jaren dertig, maar het idee lag te voor de hand om niet te worden overgenomen door andere fabrikanten. Door Gianni Motta, bijvoorbeeld, of door Guerciotti, waar de aandacht voor detail zich ook richtte op de lugs. Deze slanke, delicaat uitgesneden onderdelen duiden op de hoogste graad van framebouwen en hetzelfde gevoel voor stijl werd toegepast bij het vertalen van het kleurconcept voor het frame naar de velgen, het stuurlint en het zadel.

Guerciotti werd in 1964 in Milaan opgericht door de broers Paolo en Italo Guerciotti, geen van beiden groentjes op het gebied van fietsen. Paolo was actief in het veldrijden, Italo op de weg. De laatste maakte de eerste frames. Dit jonge bedrijf kreeg hulp van de legendarische Cino Cinelli.

ALAN
Record Carbonio
IETS NIEUWS VAN DE PIONIER

SOORT
RACEFIETS

LAND
ITALIË

JAAR
1987

GEWICHT
9,4 KG

FRAME
CARBON BUIZEN IN ALUMINIUM LUGS,
HOOGTE 54 CM

VERSNELLINGEN
2 x 6, DERAILLEUR CAMPAGNOLO CHORUS

REMMEN
VELGREMMEN SIDE PULL CAMPAGNOLO CHORUS

BANDEN
28 INCH, DRAADBANDEN

Twee werelden ontmoetten elkaar en zijn (nog steeds) vredig verenigd: halverwege de jaren tachtig begon voor Alan, sinds 1972 pionier op het gebied van comfortabele aluminium race- en cyclocross frames, het carbontijdperk. Dit frame was echter niet de toekomst. De carbon buizen werden gebruikt in combinatie met aluminium lugs, terwijl carbon, door de aard van het materiaal, de vloeiende overgangen van een monocoque frame vereist. Onder grote druk scheidden de verbindingen net zo eenvoudig als kon worden gevreesd. Maar de schoonheid van deze nobele combinatie overtuigt ook vandaag, in een tijd waarin de meeste racefietsen aluminium hebben verruild voor carbon.

Klaus-Peter Thaler werd diverse malen wereldkampioen cyclocross op zo'n legendarisch aluminium Alan frame. En dat de Alan Carbonio zo sterk lijkt op de Colnago Carbitubo (zie pag. 84) komt vooral doordat de laatste ook door Alan werd gebouwd.

LOOK KG 196
CARBON VOOR WINNAARS

SOORT
RACEFIETS

LAND
FRANKRIJK

JAAR
1996

GEWICHT
9,5 KG

FRAME
CARBON MONOCOQUE, HOOGTE 53 CM

VERSNELLINGEN
2 x 7, DERAILLEUR SHIMANO DURA-ACE

REMMEN
VELGREMMEN SIDE PULL SHIMANO DURA-ACE

BANDEN
27 INCH, TUBES

De firma LOOK maakte oorspronkelijk skibindingen en kwam via een omweg met fietsen in aanraking. Klikpedalen waren niet veel meer dan een bijproduct van de corebusiness, maar in 1986, een jaar na Bernard Hinaults overwinning in de Tour de France op een fiets met LOOK pedalen, ontwikkelde het bedrijf een geheel eigen fiets. Greg Lemond, Hinaults grote rivaal en ploeggenoot in 1985, won de Tour van 1986 op een LOOK racefiets – de eerste Touroverwinning met een carbon frame en misschien de katalysator voor het onderzoek van het Oost-Berlijnse FES.

Tien jaar later produceerde LOOK deze tijdritfiets, waarvan het frame en het crankstel op spieren lijken, terwijl stuurpen en stuur herinneren aan laat negentiende-eeuwse fietsen. De rest van het ontwerp wordt gekarakteriseerd door losse hints naar de toekomst; alleen het achterwiel brengt de fietser terug naar het heden, als de wind er van opzij tegenaan blaast.

TEXTIMA
Time Trial
ZONDER NAAM

SOORT
RACEFIETS

LAND
DUITSLAND/OOST-DUITSLAND

JAAR
1984

GEWICHT
8,6 KG

FRAME
GELAKT STAAL, HOOGTE 54 CM

VERSNELLINGEN
2 x 6, DERAILLEUR CAMPAGNOLO SUPER RECORD

REMMEN
VELGREMMEN SIDE PULL, VOOR TEXTIMA,
ACHTER CAMPAGNOLO RECORD

BANDEN
26 INCH, DRAADBANDEN

Textima was de naam van het Oost-Duitse staatsconcern dat machines voor de textielindustrie produceerde. Toch is de stap naar deze geweldige tijdritfiets een kleine als de in de DDR geldende logica wordt gevolgd. Hoewel de fietsfabrikant Diamant ook deel uitmaakte van Textima, dat zich grotendeels toelegde op de productie van naaimachines, was de afdeling die racefietsen voor topsporters ontwikkelde onderdeel van de centrale testafdeling van het bedrijf die niets te maken had met de Diamant fietsen.

De racefietsen heetten ook niet Textima, ze hadden helemaal geen naam. Zeer sporadisch wordt een aanduiding aangetroffen op een fiets, maar voor verzamelaars staat Textima voor de racefietsen die tussen 1975 en 1988 in speciale werkplaatsen in Leipzig en Chemnitz werden gemaakt voor de nationale ploeg van de DDR. Deze fietsen waren te koop: elk frame was gesoldeerd en werd voor iedere fietser speciaal afgebouwd. De wegfietsen waren blauw, de baanfietsen zilver en technisch behoorden ze tot de beste ter wereld: platte spaken, speciale stijve en lichte magnesium velgen, extreem korte liggende achtervorken, sturen op maat, aerodynamische ovale of druppelvormige buizen en, natuurlijk, de speciaal ontwikkelde voorrem die door de vork uit de wind werd gehouden. In de nadagen van de DDR werd de technologie van Textima ingehaald door de carbonframes van FES; eliterijders gingen hun uitrusting betrekken in Oost-Berlijn.

MOSER
Hour Record Replica
VOOROVER LEUNEN

SOORT
SINGLE-SPEED, RACEFIETS

LAND
ITALIË

JAAR
1984

GEWICHT
9,9 KG

FRAME
VERCHROOMD STAAL, HOOGTE 54 CM

VERSNELLINGEN
GEEN

REMMEN
GEEN

BANDEN
27 INCH, TUBES

Na hun afscheid gingen veel wielrenners frames bouwen; bij Francesco Moser overlapten deze fases enigszins. Zodoende was hij in de gelegenheid races te winnen – en zelfs records te breken – op fietsen met zijn eigen naam. In 1984 ging Franceso Moser in Mexico City van start om het twaalf jaar oude werelduurrecord van Eddy Merckx aan te vallen; korte tijd later was het verpulverd met een afstand van 50,808 km in een uur. Nog niet verzadigd lukte het Moser vier dagen later zijn eigen record te verbreken. Het nieuwe werelduurrecord van 51,151 km bleef negen jaar overeind.

Nadien bestelde de Oostenrijkse wielrenner Bernhard Rassinger, in 1985 nationaal kampioen op de weg en winnaar van het brons tijdens het wereldkampioenschap op de weg in Villach in 1987, bij Francesco Moser een fiets met exact dezelfde specificaties. Dat is het model op de foto's. Mosers recordafstand van 51,151 km is al in het 3ttt stuur gegraveerd.

FAGGIN
DE HOOGSTE KUNSTVORM

SOORT
SINGLE-SPEED, RACEFIETS

LAND
ITALIË

JAAR
1986

GEWICHT
8,9 KG

FRAME
GELAKT STAAL, HOOGTE 52 CM

VERSNELLINGEN
GEEN

REMMEN
GEEN

BANDEN
27 INCH, TUBES

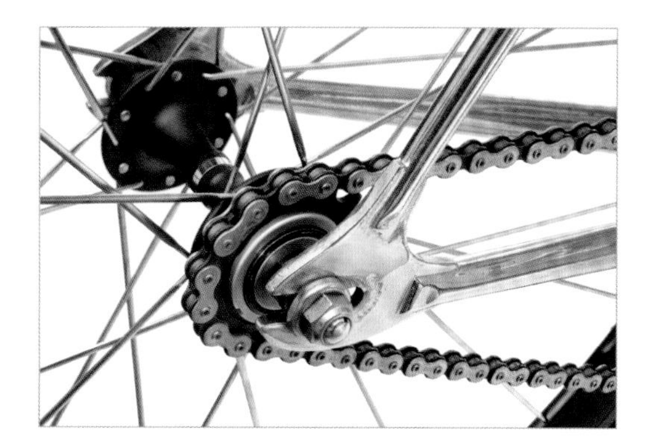

Faggin begon in 1945 met het produceren van fietsen en tot vandaag is veel hetzelfde gebleven. Faggin frames worden nog steeds beschouwd als kunstwerken die liefdevol met de hand zijn gemaakt, gecontroleerd en fijngeslepen tot ieder detail klopt. Door de jaren heen zijn diverse framematerialen gebruikt omdat de mode verandert en de techniek vordert. Vandaag zijn er Faggin fietsen met carbon frames, maar staal, het klassieke materiaal voor de framebouwer, werd nooit helemaal vervangen door nieuwe technologie – ook nu zijn er nog twee racefietsen, een singlespeed en een tourfiets van staal verkrijgbaar.

De track fiets van Faggin herbergt alle liefde en zorg voor zelfs de kleinste onderdelen: de lugs zijn met grote aandacht voor detail gemaakt – waar de zadel- en de bovenbuis elkaar ontmoeten zitten er zelfs twee – en de stuurpen is gegraveerd.

Naar veel Faggin fietsen kun je uren bewonderend kijken, naar sommige bijna eeuwig.

ALEX SINGER
GOD LEEFT!

SOORT
TOERFIETS

LAND
FRANKRIJK

JAAR
1947

GEWICHT
10,6 KG

FRAME
GELAKT STAAL, HOOGTE 57 CM

VERSNELLINGEN
2 x 4, DERAILLEUR CYCLO

REMMEN
VELGREMMEN CENTRE PULL SINGER

BANDEN
26 INCH, DRAADBANDEN

Toen in veel landen tourfietsen nog zwaar en lelijk waren, werd in Frankrijk de lichtgewicht constructie geperfectioneerd. Vanaf halverwege de jaren dertig namen framebouwers deel aan wedstrijden voor randonneurs om uit te vinden hoe de lichtste en tegelijk meeste robuuste fietsen konden worden gebouwd. Ze alleen maar lichter maken was niet genoeg; de berijder moest mét zijn bagage zo snel mogelijk de bestemming bereiken.

Met René Herse wordt Alex Singer vandaag gerekend tot de grootste Franse framebouwers en deze fiets laat zien waarom. Tot in de kleinste details is gezocht naar sierlijke, elegante oplossingen: twee dunne bouten zijn lichter dan één dikke, dus de zadelpen en de stuurpen voorbouw worden geklemd met fijne dubbele bouten; de

achterderailleur is bevestigd aan vier ultradunne buizen die aan het frame gesoldeerd zijn, de voorderailleur bestaat slechts uit contouren gevormd door dun ijzerdraad en de verfijnde remmen stoppen zelfs een fors beladen fiets.

Nadat Alex Singer In 1964 ernstig ziek was geworden, namen zijn neven Roland en Ernest Csuka het bedrijf over. Tot de dood van Roland in 1993 hadden ze gezamenlijk de leiding, daarna runde Ernest de firma alleen, tot zijn zoon Olivier het in 2009 overnam. Ernest was niet alleen een begenadigd bouwer, maar won in 1950 op een Singer Randonneur ook twee etappes in de Tour de France Cyclotouriste. In deze wedstrijd was het parcours hetzelfde als voor de profwielrenners; de randonneurs reden voor het peloton uit en in de cyclosportif-klasse waren de laatste vijftig kilometers een race tegen elkaar en tegen de klok.

KETTLER ALU-RAD Strato
EEN TRAAN VAN ALUMINIUM

SOORT
RACEFIETS

LAND
DUITSLAND

JAAR
1982

GEWICHT
10,9 KG

FRAME
ALUMINIUM, HOOGTE 57 CM

VERSNELLINGEN
2 x 6, DERAILLEUR SHIMANO 600 AX

REMMEN
VELGREMMEN CENTRE PULL SHIMANO 600 AX

BANDEN
27 INCH, TUBES

Kettler heeft aluminium frames voordeliger gemaakt en het resultaat ervan is te zien aan de meeste fietsen van het merk. Waar je gepolijst aluminium zou verwachten, waren Kettler frames gewoon zilver geverfd en van lastige detaillering werd afgezien. Aerodynamica had echter nog steeds prioriteit; de buizen van dit frame hebben een traanvormige dwarsdoorsnede en zelfs de vork is licht gestroomlijnd, hoewel beide hun karakteristieke soliditeit behouden.

De Shimano 600 AX onderdelen zijn echter elegant; ieder detail is gemaakt met de precisie waar Shimano om bekend staat. De oversized toeclips lijken een verlengstuk van de crankarmen, de remmen zijn prachtig aerodynamisch en zelfs de zadelklem is aerodynamisch geoptimaliseerd.

CESARE M
HET KWALITEITSMERK

SOORT
RACEFIETS

LAND
ITALIË

JAAR
1989

GEWICHT
9,9 KG

FRAME
VERCHROOMD STAAL, HOOGTE 52 CM

VERSNELLINGEN
2 x 8, DERAILLEUR CAMPAGNOLO RECORD

REMMEN
VELGREMMEN CENTRE PULL CAMPAGNOLO DELTA

BANDEN
28 INCH, DRAADBANDEN

Lang voor het internettijdperk konden fietsonderdelen per post worden besteld en een lijvige Brügelmann catalogus was de bijbel voor de fietser. Het Duitse postorderbedrijf bestaat nog steeds, maar de naam van haar huismerk Cesare M is alleen nog te vinden op fraaie racefietsen zoals deze. De manier waarop de kabel van de achterrem door de bovenbuis wordt geleid, typeert de aandacht voor detail van de firma. Het punt waar de staande achtervorken de zadelbuis raken is prachtig en de Campagnolo Delta remmen passen fraai bij de Shamal velgen. De lichte constructie leidde in feite tot zulke dunne velgen dat ze zouden vervormen bij noodstops, dus werden de Delta's zo geconstrueerd dat de wrijving die ze veroorzaakten niet tot schade kon leiden.

Cesare M frames werden gelast in Italië, waar ook het vroegere huismerk Barellia vandaan kwam, maar in de Brügelmann catalogus is nooit melding gemaakt van een ontwerper met de naam Cesare M.

SHAMAL
SHAMAL

Campagnolo
Campagnolo
RECORD
TITANIUM

BIANCHI
Rekord 746
DE KLEUR VAN KLASSE

SOORT
RACEFIETS

LAND
ITALIË

JAAR
1980

GEWICHT
12,4 KG

FRAME
GELAKT STAAL, HOOGTE 58 CM

VERSNELLINGEN
2 x 5, DERAILLEUR CAMPAGNOLO NUOVO RECORD

REMMEN
VELGREMMEN SIDE PULL GALLI

BANDEN
27 INCH, TUBES

De naar turquoise neigende kleur die synoniem is geworden met Bianchi heet officieel 'celeste', wat chique klinkt en recht doet aan deze zeldzame fiets. De vraag hoe celeste de kleur werd de frames van het merk is een oude en lastig te beantwoorden. Er zijn diverse suggesties geopperd, maar slechts één kan de juiste zijn. Een kleine selectie: Edoardo Bianchi koos celeste ter ere van koningin Margaretha van Italië – de kleur zou bij haar ogen passen; de tint is een hommage aan de lucht boven Milaan; voorafgaand aan de Giro was er een misverstand over het mengen van de kleur, maar geen tijd meer om de frames opnieuw te lakken. De stelling dat de kleur ontstond door het mengen van resten blauwe en groene verf na de Tweede Wereldoorlog kan terzijde worden geschoven, want Bianchi gebruikte celeste al aan het einde van de negentiende eeuw. Wellicht de meest plausibele theorie is dat Bianchi zijn racefietsen een kleur wilde geven die niemand anders in het peloton gebruikte.

Tot op de dag van vandaag is Bianchi voor de fietssport wat Ferrari is voor het autoracen: een icoon van snelheid. Toch zijn niet alle wegfietsen zo betoverend elegant als deze 746. Om de magie van het merk binnen het bereik te brengen van meer klanten, werd het model op enkele punten aangepast. De fans hapten gretig toe.

CAMPAGNOLO
PATENT CAMPAGNOLO
Vittoria
FORMULA 1

Bianchi
Bianchi

GIOS
Aerodynamic
AAN DE TOP

SOORT
RACEFIETS

LAND
ITALIË

JAAR
1981

GEWICHT
9,4 KG

FRAME
GELAKT STAAL, HOOGTE 55 CM

VERSNELLINGEN
2 x 6, DERAILLEUR CAMPAGNOLO RECORD

REMMEN
VELGREMMEN SIDE PULL DIA COMPE

BANDEN
27 INCH, TUBES

Zoals veel renners begon Tolmino Gios kort nadat hij in 1948 was gestopt als professional met de productie van fietsen en tot vandaag is Gios een familiebedrijf, nu geleid door zijn zoon Alfredo. .

Kauwgom maakte Gios racefietsen legendarisch. Als Giorgio Perfetti (met zo'n naam kan niets verkeerd gaan), eigenaar van het Italiaanse kauwgommerk Brooklyn, op de Milanese fietsenbeurs niet honderd Gios Easy Riders had besteld, zou hij misschien nooit een professionele wielerploeg zijn begonnen en zou Gios wellicht vergeten zijn. Gios voorzag de frames van kleuren die pasten bij de Stars and Stripes van de koerstruien, wat een krachtig beeld opleverde. Sindsdien hebben alle Gios racefietsen de eenvoudige middenblauwe kleur die we nu 'Gios blauw' noemen en die werden bereden door winnaars als Roger de Vlaeminck en Didi Thurau. De beroemdste Gios racefietsen zijn de Professional en deze Aerodynamic.

Sinds 2011 is de legendarische Gios Compact Pro, met zijn zeer slanke buizen en verchroomde lugs, weer verkrijgbaar. De fiets profiteert van de groeiende markt voor retro modellen.

COLNAGO
Oval CX
WEERSTAND IS TE VERWAARLOZEN

SOORT
RACEFIETS

LAND
ITALIË

JAAR
1983

GEWICHT
9,9 KG

FRAME
GELAKT STAAL, HOOGTE 57 CM

VERSNELLINGEN
2 x 6, DERAILLEUR CAMPAGNOLO SUPER RECORD

REMMEN
VELGREMMEN SIDE PULL CAMPAGNOLO COBALTO

BANDEN
28 INCH, DRAADBANDEN

Niets is zo aerodynamisch als een traan, maar een wegfiets met buizen met een dwarsdoorsnede in traanvorm, komt het verst in de richting. Hoewel de luchtweerstand van de berijder de zwakste schakel blijft (veel meer dan het frame), werden aero frames begin jaren tachtig zeer populair – in zekere zin gaven ze een aerodynamische gevoel, hoewel ze machteloos stonden tegenover de wetten van de natuur.

In het begin van de jaren tachtig was Colnago al een cultmerk, maar de combinatie van het merk met de aero frames maakte het niet minder dan legendarisch. De Oval CX is tot en met de laatste bout prachtig gedetailleerd. De zadelbuis met de aangelaste lugs is een kunstwerk op zich, de achterrem is aan de binnenkant gemonteerd om hem uit de wind te houden, op diverse plaatsen is het frame gegraveerd – alles is zo ongedwongen gemaakt dat de Oval CX bijna voor een sculptuur door kan gaan. Een eerbiedige stilte is de enige passende reactie.

VERKLARENDE WOORDENLIJST

Achtervork De staande achtervork wordt gevormd door de buizen tussen de achteras en de zadellug. de liggende achtervork tussen de achteras en het bracket.

Aero-spaken Spaken die niet rond zijn, maar een afgeplat middendeel hebben.

Balhoofdbuis Buis waarin de voorvork draait.

Bandenmaten Sinds 1984 geldt het ETRTO-systeem van bandenmaten, bijvoorbeeld: 40 x 635. Daarin is 40 de breedte van de band, en 635 de diameter van het velgbed waar de band (zie draadband) op komt te rusten. Vóór 1984 werd niet de velgmaat, maar de buitendiameter van de band als maat gehanteerd, bijvoorbeeld 28 inch. In dit boek vermelden we consequent de inch-maten om de fietsen uit de diverse periodes zo eenduidig mogelijk te vermelden.

Bracket De trapas, zijn lagers en zijn behuizing vormen samen het bracket.

Campagnolo Italiaanse fabrikant van onderdelen voor racefietsen. Een naam met traditie en sterrenstatus.

Cantileverrem Velgrem bestaande uit twee delen die scharnieren op een nok op elk van de vorkpoten. Kabelbediening.

Crank of trapper Arm tussen de trapas en het pedaal.

Derailleur (voor en achter) Een van oorsprong Frans woord voor het versnellingsapparaat, waarmee de fietser de ketting van het ene naar het andere kettingwiel kan verschuiven om van versnelling te wisselen. Er is meestal een achterderailleur en soms ook een voorderailleur; nooit andersom.

Diamantframe Het klassieke frame dat bestaat uit vier buizen die een ruit vormen.

Doortrapper Een fiets zonder freewheel.

Draadband Buitenband met twee draden (staaldraad of kevlar) in de randen. de draden bepalen de diameter van de band en houden hem op zijn plaats.

Dura-Ace De toponderdelen voor racefietsen van Shimano.

Elektronische versnelling Een versnellingssysteem dat niet met een Bowdenkabel maar elektronisch wordt bediend.

Framehoogte In Nederland wordt de framehoogte gemeten van het hart van de crank tot het einde van de zitbuis, ongeacht de zithoek.

Hetchins' Magnum Opus Het absolute topmodel van Hetchins en de ultieme lichtgewicht. Karakteristiek zijn de fraai bewerkte lugs.

Kettingblad of -wiel Het voorste kettingwiel; een van tanden voorzien wiel dat tezamen met de ketting en een ander kettingwiel de overbrenging vormt.

Kruisframe Een frame met hoofdbuizen die elkaar kruisen; er bestaan een paar dozijn verschillende types.

Lugs Verbindingsstukken tussen framebuizen. ze worden gemaakt van gietijzer (microfusion), plaatijzer, aluminium of kunststof.

Monocoque frame Frame uit één stuk.

Naaf Onderdeel van het wiel waar de as in draait.

NJS Nippon Jitensha Shinkokai: de Japanse federatie van Keirin-organisatoren, die o.a. toeziet op de reglementen voor het gokken op de wedstrijden; Keirin is big business. het technische reglement verlangt dat elk (nieuw) onderdeel aan een Keirin-fiets vóór aanvang van het seizoen aan de technische commissie wordt voorgelegd, getest, goedgekeurd en gehomologeerd alvorens het in een wedstrijd wordt gebruikt. Voor een fabrikant is het een eer als een onderdeel bij het Keirin is toegelaten.

Randonneur Franse benaming voor een lichtgewicht toerfiets die uitgerust is om mee te reizen.

Rollenbank of hometrainer Apparaat met drie rollen, waarop je 'stilstaand' kon trainen. De moderne hometrainer heeft nog maar één rol.

Rollerbrake Gesloten (onderhoudsarme) rem in een trommel op de naaf, die werkt met stalen rollen die klem lopen.

Schijfrem Metalen schijf aan de naad waar de remblokken tegenaan drukken. Ontwikkeld voor het mountainbiken.

Schijfwiel Aerodynamisch, dicht wiel zonder spaken.

Shimano Een Japanse fabrikant van fietsonderdelen, die de onbetwiste marktleider is.

Snelspanner Klem om een wiel vast te zetten in het frame. Hij loopt door de holle wielas.

Super Record De toponderdelen van Campagnolo. De naam werd gebruikt tussen 1975 en 1986, en daarna weer vanaf 2009.

Stangenrem Velgrem of trommelrem die vanaf het stuur met stangen bediend wordt.

Tandwiel Het voorste getande wiel waarover de ketting loopt.

Terugtraprem Een rem in de achternaaf die bediend wordt door achteruit te trappen.

Trapas De as waarop de trappers gemonteerd zijn.

Trommelrem Gesloten (onderhoudsarme) rem met halvemaanvormige remschoenen in een trommel die op de naaf zit.

Tube Band die dichtgenaaid is om de binnenband en die op de velg gekit wordt. Zo'n band kan tot hoge druk opgepompt worden (weg: 8-10 bar; baan: tot 16 bar).

V-rem Opvolger van de cantileverrem. De hefboompjes zijn langer en wijzen bijna verticaal omhoog, zodat het effect van de kabel directer is, en ook moeilijker te doseren.

Vrijdragende achteras As die soms in het achterwiel wordt gebruikt en verwijderd kan worden zonder schroeven los te draaien.

Wielbasis De afstand tussen de loodlijnen door de assen van voor- en achterwiel.

Zadelpenbout Bout waarmee het zadel op de gewenste hoogte wordt vastgezet.

Zitbuis De buis tussen trapas en zadellug, waarin de zadelbuis valt.

STATISTIEKEN

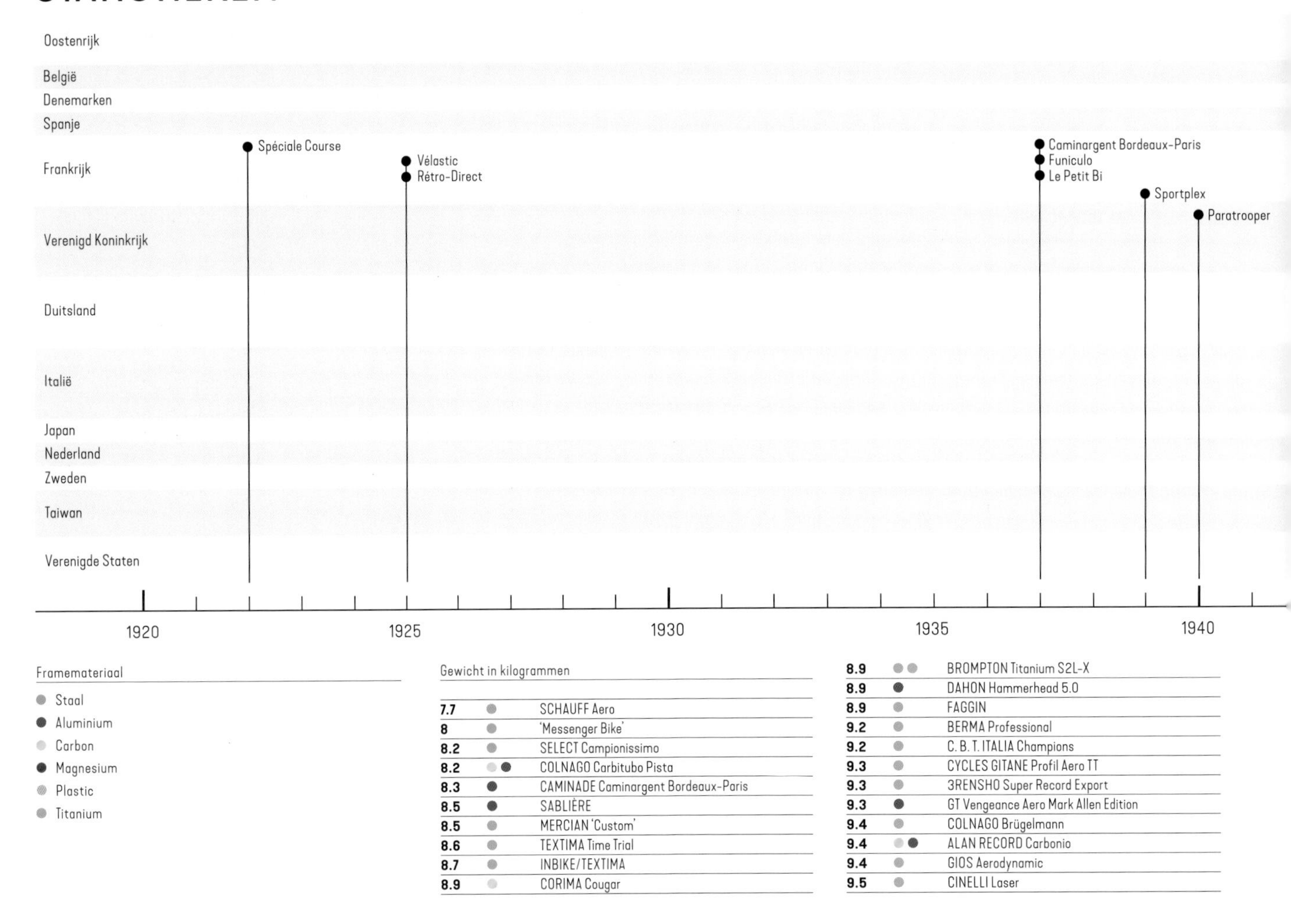

Framemateriaal

- Staal
- Aluminium
- Carbon
- Magnesium
- Plastic
- Titanium

Gewicht in kilogrammen

7.7	SCHAUFF Aero
8	'Messenger Bike'
8.2	SELECT Campionissimo
8.2	COLNAGO Carbitubo Pista
8.3	CAMINADE Caminargent Bordeaux-Paris
8.5	SABLIÈRE
8.5	MERCIAN 'Custom'
8.6	TEXTIMA Time Trial
8.7	INBIKE/TEXTIMA
8.9	CORIMA Cougar
8.9	BROMPTON Titanium S2L-X
8.9	DAHON Hammerhead 5.0
8.9	FAGGIN
9.2	BERMA Professional
9.2	C. B. T. ITALIA Champions
9.3	CYCLES GITANE Profil Aero TT
9.3	3RENSHO Super Record Export
9.3	GT Vengeance Aero Mark Allen Edition
9.4	COLNAGO Brügelmann
9.4	ALAN RECORD Carbonio
9.4	GIOS Aerodynamic
9.5	CINELLI Laser

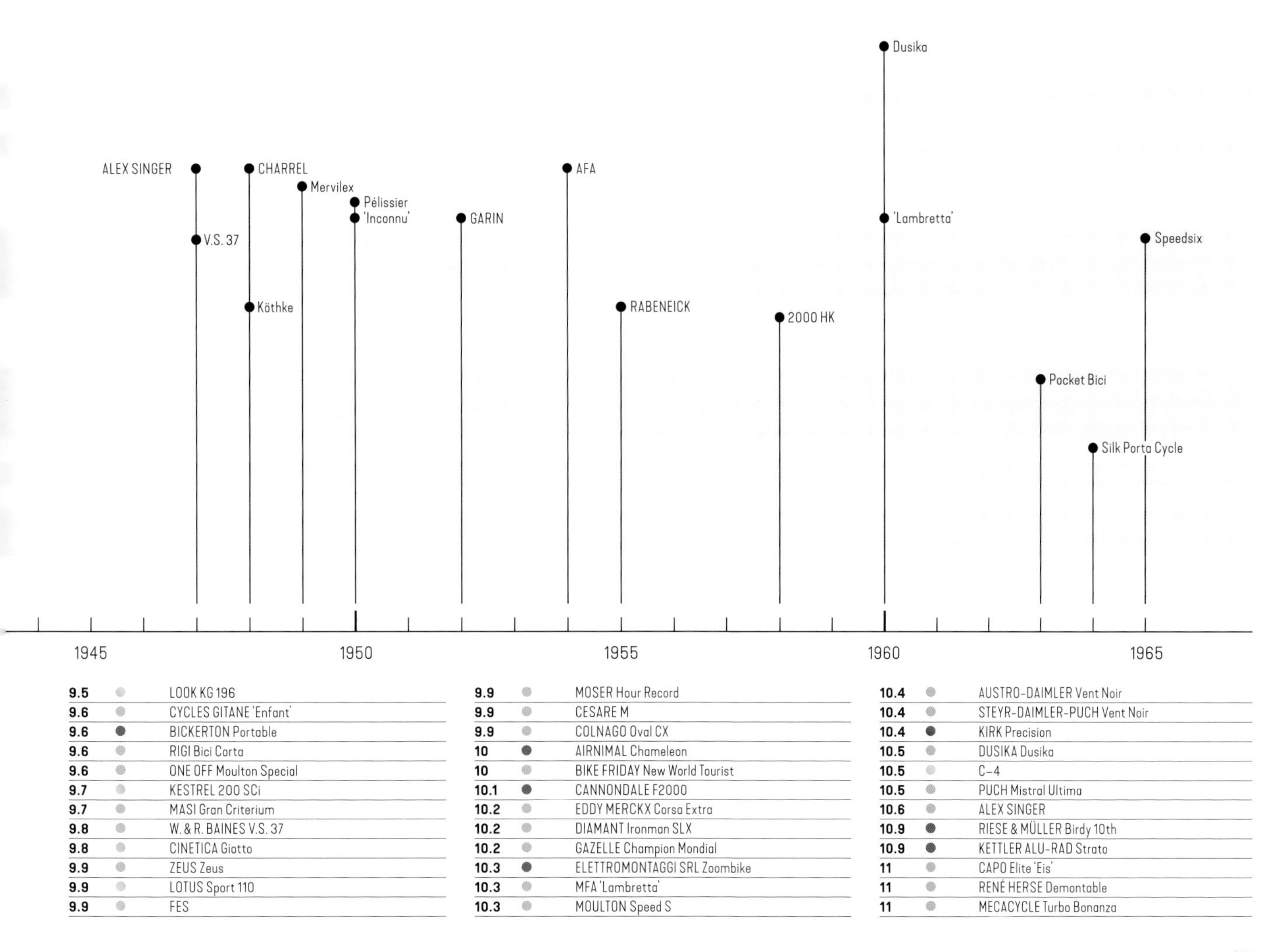

9.5	LOOK KG 196
9.6	CYCLES GITANE 'Enfant'
9.6	BICKERTON Portable
9.6	RIGI Bici Corta
9.6	ONE OFF Moulton Special
9.7	KESTREL 200 SCi
9.7	MASI Gran Criterium
9.8	W. & R. BAINES V.S. 37
9.8	CINETICA Giotto
9.9	ZEUS Zeus
9.9	LOTUS Sport 110
9.9	FES
9.9	MOSER Hour Record
9.9	CESARE M
9.9	COLNAGO Oval CX
10	AIRNIMAL Chameleon
10	BIKE FRIDAY New World Tourist
10.1	CANNONDALE F2000
10.2	EDDY MERCKX Corsa Extra
10.2	DIAMANT Ironman SLX
10.2	GAZELLE Champion Mondial
10.3	ELETTROMONTAGGI SRL Zoombike
10.3	MFA 'Lambretta'
10.3	MOULTON Speed S
10.4	AUSTRO-DAIMLER Vent Noir
10.4	STEYR-DAIMLER-PUCH Vent Noir
10.4	KIRK Precision
10.5	DUSIKA Dusika
10.5	C-4
10.5	PUCH Mistral Ultima
10.6	ALEX SINGER
10.9	RIESE & MÜLLER Birdy 10th
10.9	KETTLER ALU-RAD Strato
11	CAPO Elite 'Eis'
11	RENÉ HERSE Demontable
11	MECACYCLE Turbo Bonanza

STATISTIEKEN

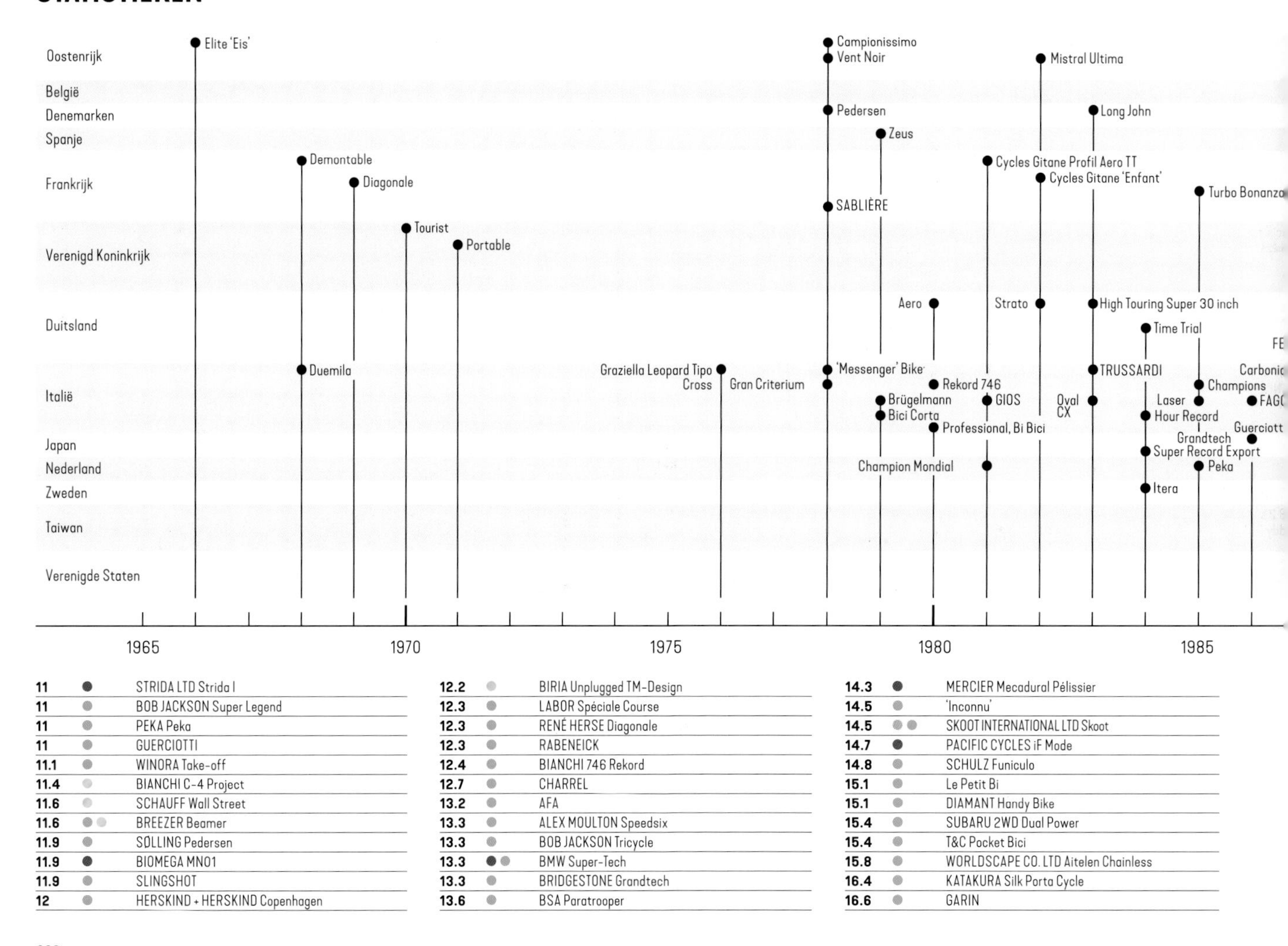

11	STRIDA LTD Strida I
11	BOB JACKSON Super Legend
11	PEKA Peka
11	GUERCIOTTI
11.1	WINORA Take-off
11.4	BIANCHI C-4 Project
11.6	SCHAUFF Wall Street
11.6	BREEZER Beamer
11.9	SØLLING Pedersen
11.9	BIOMEGA MN01
11.9	SLINGSHOT
12	HERSKIND + HERSKIND Copenhagen
12.2	BIRIA Unplugged TM-Design
12.3	LABOR Spéciale Course
12.3	RENÉ HERSE Diagonale
12.3	RABENEICK
12.4	BIANCHI 746 Rekord
12.7	CHARREL
13.2	AFA
13.3	ALEX MOULTON Speedsix
13.3	BOB JACKSON Tricycle
13.3	BMW Super-Tech
13.3	BRIDGESTONE Grandtech
13.6	BSA Paratrooper
14.3	MERCIER Mecadural Pélissier
14.5	'Inconnu'
14.5	SKOOT INTERNATIONAL LTD Skoot
14.7	PACIFIC CYCLES iF Mode
14.8	SCHULZ Funiculo
15.1	Le Petit Bi
15.1	DIAMANT Handy Bike
15.4	SUBARU 2WD Dual Power
15.4	T&C Pocket Bici
15.8	WORLDSCAPE CO. LTD Aitelen Chainless
16.4	KATAKURA Silk Porta Cycle
16.6	GARIN

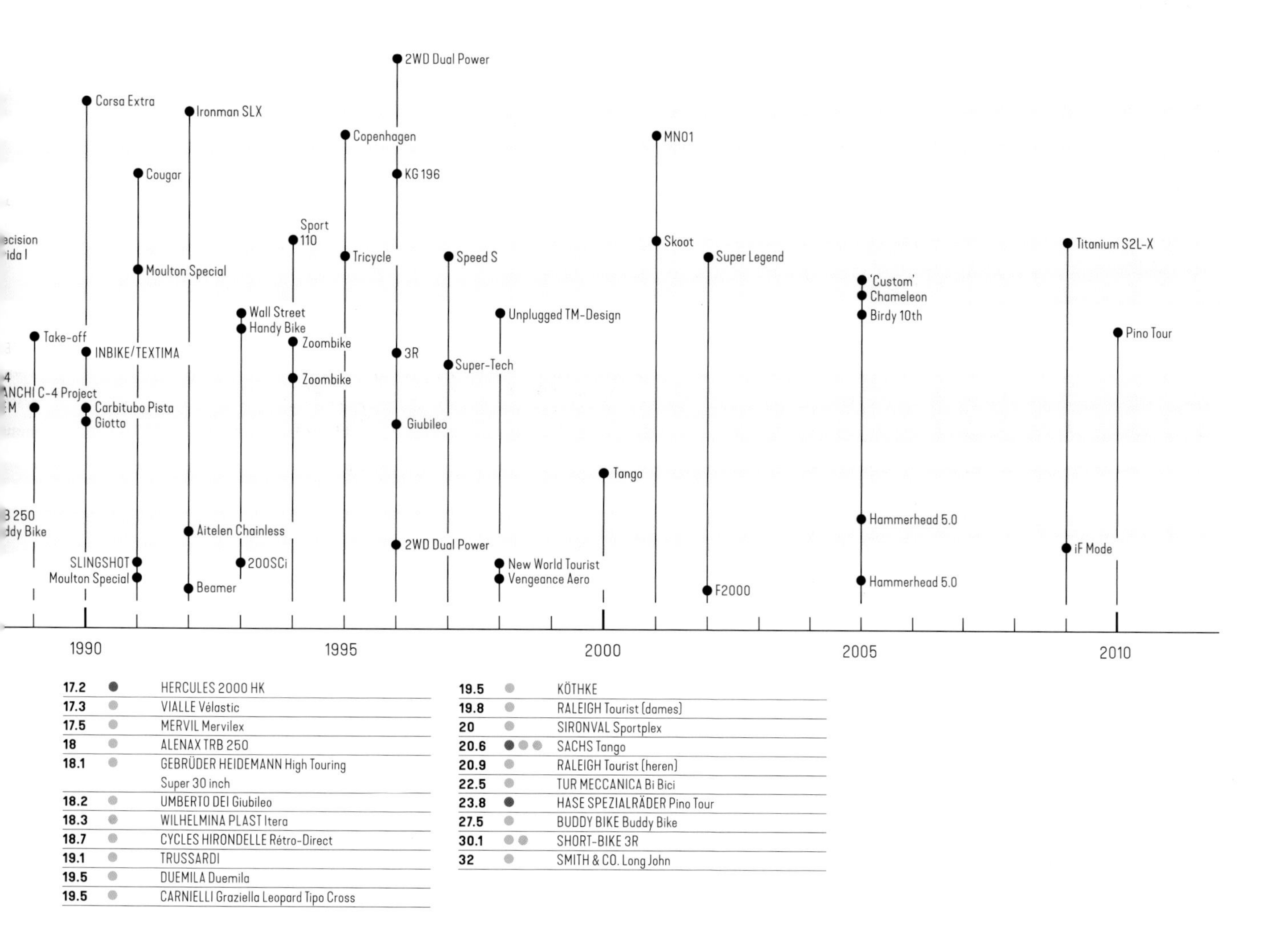

17.2	●	HERCULES 2000 HK
17.3	●	VIALLE Vélastic
17.5	●	MERVIL Mervilex
18	●	ALENAX TRB 250
18.1	●	GEBRÜDER HEIDEMANN High Touring Super 30 inch
18.2	●	UMBERTO DEI Giubileo
18.3	●	WILHELMINA PLAST Itera
18.7	●	CYCLES HIRONDELLE Rétro-Direct
19.1	●	TRUSSARDI
19.5	●	DUEMILA Duemila
19.5	●	CARNIELLI Graziella Leopard Tipo Cross
19.5	●	KÖTHKE
19.8	●	RALEIGH Tourist (dames)
20	●	SIRONVAL Sportplex
20.6	● ● ●	SACHS Tango
20.9	●	RALEIGH Tourist (heren)
22.5	●	TUR MECCANICA Bi Bici
23.8	●	HASE SPEZIALRÄDER Pino Tour
27.5	●	BUDDY BIKE Buddy Bike
30.1	● ●	SHORT-BIKE 3R
32	●	SMITH & CO. Long John

MICHAEL EMBACHER
is een ontwerper en architect die een van de grootste fietscollecties ter wereld heeft samengesteld.

PAUL SMITH
is een wereldvermaarde mode-ontwerper en gepassioneerd fietser.

DE AUTEUR WIL GRAAG DE VOLGENDE PERSONEN BEDANKEN:

Ying-Shan Schweizer-Embacher
mijn onvoorwaardelijke steun, zonder wie dit boek nooit tot stand zou zijn gekomen.

Bernhard Angerer
wiens foto's de fietsen werkelijk tot leven brengen.

Lucas Dietrich
die zonder enig voorbehoud in het project geloofde.

Alexander Meixner
zonder wiens niet-aflatende steun deze collectie er nooit geweest zou zijn.

EN VOORTS
Ansgar Ammermann, Klemens Bilzer, Jürgen Borgmann, Benedikt Croy, Meinrad Fixl, Cat Glover, Roman Gold, Sandra Gugic, Franz Hager, Franz Hamedl, Sen. & Jun., Karin Hirschberger, Gerald & Jutta Levinsky, Alexander March, Stefan Meixner, Isabel Neudhart, Josef Perndl, Gerhard Pichler, Daniel Reinhartz, Herbert Ristl, Stefan Schaefter, Brigitte Schedl-Richter, Dietrich Schmidt, Walter Schmiedl, Marie-Louise Schweizer, Hanspeter Sigrist, Jakob Stalder, Rupert Steiner, Martin Strubreiter, Martin Wagner, Heinrich Walter, René Winkler, Michael Zappe, Friedrich Zaunrieth

MET BIJZONDERE DANK
Lieselotte, Gottfried en Vincenz Embacher

ONTWERP
©2019 Thames & Hudson, Ltd.

REDACTIE
Jutta Levinsky, Stefan Meixner, Marie-Louise Schweizer, Ying-Shan Schweizer-Embacher

FOTOVERANTWOORDING
alle foto's © 2011 en 2019 Bernhard Angerer, met uitzondering van:
pagina 7 © 2011 and 2019 Daniel Stier
pagina 9 © 2011 and 2019 Andreas MÜller

Eerste uitgave in de UK in 2011 door
Thames & Hudson Ltd,
181A High Holborn, London WC1V 7QX

Deze herziene uitgave is voor het eerst gepubliceerd in 2019.

DATO is een imprint van uitgeverij Lecturis,
Galileïstraat 2, 5621 AE Eindhoven

ISBN 978-94-6226-329-1

DATO